DU MÊME AUTEUR

Aux Éditions Gallimard

DU CÔTÉ DE CHEZ JEAN.

UN AMOUR POUR RIEN.

AU REVOIR ET MERCI.

LA GLOIRE DE L'EMPIRE («Folio», n° 2618. Nouvelle édition en un volume en 1994).

AU PLAISIR DE DIEU. Nouvelle édition en 1977, «hors série Beaux livres» («Folio», n° 1243).

LE VAGABOND QUI PASSE SOUS UNE OMBRELLE TROUÉE («Folio», n° 1319).

DIEU, SA VIE, SON ŒUVRE («Folio», n° 1735).

ALBUM CHATEAUBRIAND. Iconographie commentée.

GARÇON DE QUOI ÉCRIRE. Entretiens avec François Sureau («Folio», n° 2304).

HISTOIRE DU JUIF ERRANT («Folio», n° 2436).

LA DOUANE DE MER («Folio», n° 2801).

PRESQUE RIEN SUR PRESQUE TOUT («Folio», n° 3030).

CASIMIR MÈNE LA GRANDE VIE («Folio», n° 3156).

LE RAPPORT GABRIEL («Folio», n° 3475).

DISCOURS DE RÉCEPTION À L'ACADÉMIE FRANÇAISE DE MICHEL MOHRT ET RÉPONSE DE JEAN D'ORMESSON.

DISCOURS DE RÉCEPTION À L'ACADÉMIE FRANÇAISE DE MARGUERITE YOURCENAR ET RÉPONSE DE JEAN D'ORMESSON.

Aux Éditions Julliard

L'AMOUR EST UN PLAISIR.

LES ILLUSIONS DE LA MER.

Suite de la bibliographie en fin de volume

C'ÉTAIT BIEN

JEAN D'ORMESSON
de l'Académie française

C'ÉTAIT BIEN

GALLIMARD

Il a été tiré de l'édition originale de cet ouvrage quatre-vingt-dix exemplaires sur vélin pur fil des papeteries Malmenayde numérotés de 1 à 90.

l'affaire est dans le sac

Longtemps, je me suis demandé ce que j'allais faire de moi et des quelques saisons que des puissances inconnues — ou peut-être personne — avaient eu la bonté de m'accorder dans ce coin improbable de l'improbable univers. Voilà une question qui ne se pose plus. L'affaire est dans le sac. Les jeux sont faits. Rien ne va plus. Les dés roulent encore, mais de plus en plus vite — ou de plus en plus lentement, comme on voudra. Leur course se ralentit, leur course s'accélère. La fête tire déjà vers sa fin. J'en ressens du regret et une sorte de soulagement. C'était bien, vraiment bien — et ça va bien comme ça.

le ravi de la crèche

Ce que j'ai aimé le plus au monde, je crois que c'était la vie. La mienne d'abord, bien sûr : je n'étais pas un saint. À la différence de l'Ecclésiaste et de tant de poètes et de philosophes positivement consternés d'être sortis du néant pour être jetés parmi nous, je me réjouissais d'être là.

« Je m'éveille le matin, écrit Montesquieu, avec une joie secrète, je vois la lumière avec une espèce de ravissement. Tout le reste du jour, je suis content. » Moi aussi, j'étais content. J'aimais beaucoup les matins, le soleil, la lumière qui est si belle. Et les soirs, avec leurs secrets. Et les nuits aussi. Après les surprises et l'excitation du jour, je m'enfonçais dans l'absence avec une silencieuse allégresse. J'aimais beaucoup dormir. Et j'aimais me réveiller et aller me promener dans les forêts ou le long de la mer.

Ne sachant trop qui remercier de cette succession de bienfaits qui me tombaient dessus comme ça, pour rien, à ma surprise, sans la moindre raison, je les accueillais du moins avec bonne volonté et avec une gratitude qui ne savait trop où s'employer. Je me trouvais plutôt mieux dans ce monde-ci, qui avait des hauts et des bas, que nulle part ou ailleurs. Il y avait dans cette attitude quelque chose d'audacieux : elle n'était pas répandue chez ceux de mon époque. Ils cultivaient leurs refus et leur mauvaise humeur avec ostentation. Pour des motifs qu'on pouvait comprendre — les temps n'avaient pas été gais —, ils voyaient la vie en noir et, quand leurs regards s'abaissaient jusqu'à moi, j'y lisais une ombre de mépris pour mon obstination à la dépeindre sous des couleurs moins sombres où ils décelaient non seulement une rupture choquante avec leur manière d'être, mais comme une trace de sottise et de facilité.

« Mépris » est peut-être trop fort : mêlé d'une indulgence un peu condescendante, ils marquaient plutôt un étonnement qui pouvait aller jusqu'à la réprobation. « Ah !... oui, crachotiez-vous, il est si gai... si charmant... » Allez vous faire foutre. Le bonheur d'être au monde que j'ai éprouvé avec tant de violence n'était pas très bien vu. J'occupais sur l'échiquier une case un peu délaissée où les autres hésitaient à se laisser surprendre. Pas bon ton. Pas comme il faut. À gros bouillons bien bruyants, ils pleurnichaient leur angoisse et leur déréliction. Je tenais le rôle du benêt, du ravi de la crèche, et pour un peu du salaud, puisque j'étais heureux.

Il y avait du mal dans ce monde, le sang y coulait à flots, des mères cherchaient leurs enfants au milieu des décombres, l'homme allait peut-être disparaître, victime de son propre génie, et il n'en finissait pas de souffrir. Est-ce que je l'ignorais ? À côté des horreurs qui n'avaient jamais cessé de s'enchaîner les unes aux autres et en attendant les désastres qui ne pouvaient manquer de survenir, il y avait aussi des roses, des instants filés de soie à toutes les heures de la journée, de vieilles personnes irascibles qui laissaient derrière elles un souvenir de tendresse, des enfants à aimer, de jolies choses à lire, à voir, à écouter, de très bonnes choses à manger et à boire, des coccinelles pleines de gaieté sous leur damier rouge et noir, des dauphins qui étaient nos amis, de la neige sur les montagnes, des îles dans une mer très bleue. J'étais plutôt porté au rire et à dire oui qu'aux larmes et à dire non. Plutôt à la louange et à l'émerveillement qu'à la dérision ou à l'imprécation. J'étais une exception. Quelle chance ! Il y a toujours avantage à être un peu invraisemblable.

comme un lapin

Ce n'est pas que mes débuts aient été si faciles. Si je me souviens bien de ce qui m'a été plus tard rapporté de moi-même, je revenais d'assez loin : j'étais un enfant chétif, et peut-être condamné. On me sauva à grand-peine. Le lait m'empoisonnait. Je ne le supportais pas. Ma mère, dans mes premières semaines, c'était à se tordre, j'étais une sorte de lapin, m'éleva au jus de carotte. C'est pour cette raison, j'imagine, que j'ai longtemps détesté les carottes et beaucoup aimé le lait et tout ce qui en provient. Vous me suivez ? Je continue.

J'étais frêle, pas très costaud — un chien me renversa à Munich, sur les bords de l'Isar, Hitler prenait le pouvoir, vers les six ou sept ans —, curieux de tout, plutôt vif, un peu par en dessous, allergique et rêveur. Les cheveux, je les avais raides, en baguettes de tambour. Et des

14

taches de rousseur sur les pommettes et le nez. Voilà comment j'étais, tombé dans le monde, par hasard et par nécessité, un peu moins de vingt siècles après la naissance d'un Dieu qui nous servait de repère dans le cortège, apparemment éternel, des jours coupés de nuits, des saisons, des années. Il est très difficile de se rappeler le passé : on rafistole et reconstruit au moins autant qu'on se souvient, et souvent beaucoup plus.

j'ai pleuré mes printemps

Au-delà même des carottes, les choses s'engageaient plutôt mal. Le rhume des foins, très vite, s'est emparé de moi encore en culottes courtes. Allons bon. Mon père, qui était roux, très maigre, ardemment républicain et qui portait des cols durs jusque dans le cœur de l'été, en souffrait mort et passion. Un grand classique de la famille le représentait entrant en trombe au Bon Marché ou aux Galeries Lafayette vers la fin de mai ou le début de juin et se jetant, sans un mot, égaré, à tâtons, sorte d'Œdipe ruisselant, sur le rayon des mouchoirs. Les serviettes en papier n'étaient pas encore inventées et, devant les employées clouées sur place par la stupeur, avant même de payer ou de prononcer la moindre parole, lui d'ordinaire si courtois se mouchait bruyamment dans des mouchoirs successifs réduits à l'état d'éponges ou de délicates serpillières et jetés en tas sur le sol. Au printemps, dans sa jeunesse, pour essayer de survivre, il prenait le bateau pour Helgoland, qu'on appelait encore Héligoland, ou pour une île désolée de la Baltique sans la moindre végétation. Au printemps, dans la mienne, transformé en fontaine d'où les eaux jaillissaient par les yeux et le nez, bourré jusqu'à la gueule de calmants violents qui me faisaient dormir et d'excitants plus forts encore pour tenter de me réveiller, je passais des concours. Le visage en feu, des oursins dans les oreilles, les yeux brûlés par les larmes, entre les marronniers, les chevaux que j'aurais pu aimer et dont je fuyais comme la peste la sueur et le crin, les figuiers dans les îles — seule l'eau de mer me sauvait — et les herbes des champs, ondulantes meurtrières aux allures angéliques, j'ai éternué mon enfance, j'ai pleuré mes printemps.

le passé et l'avenir

Nous appartenions, mon père et moi, à cette race malheureuse et bénie des nerveux qui est le sel de la terre. Sanguine, sans états d'âme, catholique et monarchiste, attachée à sa terre de taillis et de futaies vers la boucle de la Loire, à l'extrême nord de la Bourgogne — cette Bourgogne pauvre et sans vins célébrée par Colette —, la famille de ma mère était plus placide que nous deux. Elle aimait manger et boire, nous aimions discuter. Elle raffolait de calembours, nous vivions dans les rêves d'une société meilleure. Elle était enracinée dans sa Puisaye natale où dormaient des étangs entourés de grands chênes, nous avions la folie des voyages. Elle regardait vers le passé, nous étions ivres d'avenir.

J'ai déjà beaucoup parlé, ailleurs, un peu partout, et sûrement beaucoup trop, des deux lignées — d'un côté, progressiste ; de l'autre,

18

féodale — qui se recoupaient en moi. Je n'ai pas l'intention — « Ah ! ce n'est pas si mal, mais il écrit toujours la même chose… » — de vous entraîner à nouveau dans les tourbillons de la Grande Mademoiselle qui fait tirer sur les troupes de son cousin Louis XIV ; de Lauzun qui se dissimule sous le lit où sont couchés le roi et Mme de Montespan ; de Fouquet, défendu contre Colbert et le roi par le plus illustre de mes prédécesseurs qui met au-dessus de ses intérêts l'idée qu'il se fait de son devoir ; de Mme de Sévigné, amie de Fouquet et de tant d'autres, ivre d'amour pour sa fille ; ni de Le Pelletier de Saint-Fargeau, une des plus grosses fortunes du royaume, conventionnel, régicide, compagnon de Robespierre, assassiné par un garde du roi le jour de l'exécution de Louis XVI, héros — avec Marat — de la Révolution, mon arrière-arrière-grand-père.

La question que je me pose est de savoir si et comment chacun d'entre nous peut devenir autre chose que la copie de ses parents et de toutes les générations qui les ont précédés. Comment ça marche, tout ça ? Mon père et ma mère avaient l'un et l'autre les yeux bleus : mes yeux aussi sont bleus. Mon père avait le rhume des foins : j'ai le rhume des foins comme lui. Ma mère et le père de ma mère n'avaient pas une haute taille : je ne suis pas grand non plus. Beaucoup de Boisgelin sont sourds : j'entends déjà moins bien. On s'étonne souvent de voir les enfants ressembler aux parents : le plus surprenant est qu'ils n'en soient pas la réplique. L'histoire ne se contente pas d'être une simple répétition. Il y a comme qui dirait un jeu dans nos petits mécanismes. Il y a de l'incertitude dans la nécessité. Je ne suis pas tombé du ciel. Je sors de quelque part. Mais, justement, j'en suis sorti. Comment la liberté s'y prend-elle pour se frayer son chemin au travers de l'hérédité ?

C'est à mes parents, aux parents de mes parents et à leurs grands-parents jusqu'à la nuit des temps que je dois, je suppose — mais je n'en sais vraiment rien —, d'avoir déjà vécu assez vieux. Et à l'époque aussi, et peut-être surtout. À la science, à l'alimentation, à la baisse de la mortalité, à l'élévation du niveau de vie, à une médecine triomphante, dont je n'ai pourtant guère abusé. À l'hérédité, quoi ! et au milieu. Les forces qui, à elles deux, règnent sur nos destins. Il y a le passé. Et il y a l'avenir. J'ai essayé d'être fidèle. Et de comprendre ce qui venait.

touchons du bois

Après une enfance malingre qui n'annonçait rien de bon, deux fées pleines de tendresse et d'une partialité révoltante se sont penchées sur moi, déjà sorti du berceau. L'une m'a donné avec un peu de retard ce que les gens, dans la rue, passent leur temps à se souhaiter : l'absence presque constante de toute souffrance physique, le silence des organes ; l'autre, moins rustique, et tout aussi puissante, m'a fourni les moyens, refusés à tant d'autres qui étaient plus doués que moi, d'apprendre à compter et à lire, de fréquenter des écoles, de rencontrer, grâce aux livres à qui je dois presque tout, les meilleurs esprits de tous les temps. Je suis, plus que personne, ce que les journaux de nos jours ne cessent de dénoncer : une vieille baderne arriérée, enfoncée jusqu'au cou dans ses souvenirs évanouis, écrasée sous les privilèges. Enfant des chasses à courre et des bibliothèques, je suis le dernier des Mohicans, le dernier Abencérage. Une sorte de pierre témoin des époques disparues.

Mon père, dans sa jeunesse, avait dû, je crois, d'après certains murmures, faire soigner des nerfs fragiles. C'était une maladie de l'époque. Aujourd'hui, j'imagine, elle porterait un nom savant, mais je ne sais pas lequel. Je n'ai rien connu de tel. Ni de pire non plus. Ni même de moins grave. Presque rien du tout. Pas même l'appendicite. Ni l'ENA. Des trucs invraisemblables et un peu risibles dont personne ne parle plus : les végétations, les amygdales — mes parents, plus que moi, gardaient de cette boucherie sanglante et sans doute inutile un souvenir épouvanté —, quelques points de suture comme tout le monde. J'ai échappé aux guerres qui faisaient rage autour de moi, au poteau d'exécution, à la déportation, à l'Indochine, aux Aurès, aux bombes dans les avions, aux noyades, aux chutes de cheval, aux tonneaux sur le verglas, à l'assoupissement au cours des longues routes de nuit vers la Toscane ou les Pouilles. J'ai pu poursuivre des études que j'aurais voulues sans fin. Comme le personnage ridicule du duc de Maulévrier dans *L'Habit vert* de Flers et

Caillavet, je me suis bien porté. Touchons du bois : j'ai eu de la chance. J'espère que, si souvent malheureux, les hommes me la pardonneront. J'en remercie les dieux.

Le plus souvent, presque toujours, le matin en me levant, le soir en me couchant, je me suis senti bien. Ces heureuses dispositions n'ont pas peu contribué à me faire aimer la vie. Je n'avais pas besoin de me monter le bourrichon, de me jeter dans le lyrisme, de me noyer dans l'alcool ou les amphétamines, de partir pour le Népal ou les déserts d'Arabie, de chanter les grenades ou les citronniers dans les jardins d'Andalousie ou de l'Afrique du Nord, de dialoguer avec la nature ni de lui donner la parole dans des prosopopées fabriquées. J'étais content comme ça.

J'ai déliré assez peu — et peut-être trop peu. Je n'ai pas fumé beaucoup de joints. Je n'ai pas tâté de l'héroïne. Ni poudre ni seringue. J'ai dormi plus que de raison. Un côté demeuré et *acqua e sapone*. J'ai toujours été comme chez moi dans ma peau. Je regardais. J'écoutais. Je me promenais dans le monde et autour de ma chambre. Je lisais de bons livres. Et même parfois de ces journaux qui sont, comme chacun sait, la prière du matin et du soir du misérable homme moderne. Je n'aurais pas donné pour un empire ma place de vivant installé par hasard, par miracle, par erreur, par l'opération du Saint-Esprit dans cette banlieue retirée où se passe, en famille et à notre seule intention, tout ce qui peut se passer.

un chemin de cendres

J'y suis, dans cette banlieue, resté un bon bout de temps. Il m'arrive, les jours de pluie ou de désœuvrement, de feuilleter des vies d'écrivains et de regarder l'âge où ils s'en vont. Comme Michel-Ange ou Titien, quelques-uns, et même de très grands — Homère, Goethe, Chateaubriand, Hugo, Tolstoï... —, ont la chance (si c'est une chance) de partir assez tard. Beaucoup meurent très tôt. Souvent, de Virgile, de Dante, de Shakespeare à Balzac, à Baudelaire, à Flaubert ou à Proust, épuisés sans doute par un travail poursuivi jusqu'au bout avec acharnement, aux environs de cinquante ans. Un peu plus, un peu moins. Du Bellay à trente-sept. Pascal à trente-neuf. Parfois vers trente ans, et parfois même plus tôt. Des poètes surtout : Catulle, Properce, Perse, Lucain, Keats ou Shelley, Lautréamont, tant d'autres... Kleist et

Pouchkine trouvent une mort violente entre trente et quarante ans. Rimbaud cesse d'écrire autour de vingt et un ans. Radiguet meurt à vingt ans.

Si j'étais mort avant trente ans, je n'aurais rien écrit du tout. Rideau. Aucune trace de mon passage dans ce monde si plein de bruit. Quel silence, tout à coup ! quel calme ! quel repos ! Si j'étais mort à cinquante ans, j'aurais laissé deux livres : *La Gloire de l'Empire* et *Au plaisir de Dieu*, qui ont fait parler de moi dans les journaux de l'époque et à la télévision, qui ont été lus à Bucarest, à Séoul, dans le Connecticut, et dont il est au moins douteux que personne se souvienne encore vers la fin de ce siècle. Parce que j'ai vécu plus vieux, j'en ai encore écrit plusieurs autres dont le destin d'éternité ne me paraît guère mieux assuré et qui m'ont valu quelques lecteurs.

En littérature comme ailleurs, on avance aussi à l'ancienneté. Je n'ai pas fait grand-chose, mais j'ai vécu. Voilà que je suis un doyen, un mandarin, une sorte de patriarche au rabais que de jeunes écrivains assurent de leur respect. Pourquoi ? Parce que j'ai évité de mourir. Pour la seule raison que je n'ai pas disparu et que j'ai persévéré dans l'être, je suis passé insensiblement, de façon un peu mystérieuse, du statut d'apprenti ambitieux au statut de maître vénéré ou peut-être plutôt, en d'autres termes, de celui de jeune con à celui de vieux con. En me retournant sur mon passé, je peux mesurer avec orgueil le chemin de cendres parcouru. De feu, peut-être. Car j'ai vécu. Et de cendres. Car je mourrai.

ah ! vous écrivez ?...

Qu'ai-je aimé dans cette vie que j'aurai tant aimée ? C'est une question que chacun de nous, à moins de se résigner à passer pour un veau, doit bien finir par se poser. Il y a dans toute existence au moins deux interrogations auxquelles se mêle un peu d'angoisse. L'une au début : « Que faire ? » Elle m'a tourmenté jusqu'aux larmes. L'autre à la fin : « Qu'ai-je donc fait ? »

Un de mes oncles lointains avait répondu sur son lit de mort à cette dernière question en murmurant à mon grand-père, capitaine de cavalerie, qui se tenait à son chevet : « Jacques, j'ai bien mangé. » Et il était parti pour toujours. J'ai souvent cité la réponse de Gaston Gallimard, l'éditeur de Gide, de Proust, de Valéry, de Claudel, d'Aragon, de Céline : « Les bains de mer, les femmes, les livres. » Je la prendrais volontiers, et dans l'ordre, à mon compte. Les

28

livres, moi aussi, je les ai beaucoup aimés. J'ai commencé par en lire, souvent avec passion. J'ai fini par en écrire avec un peu d'inconscience. Qu'ai-je fait ? J'ai travaillé. Peut-être, je ne sais plus, nourrissais-je en secret, à l'insu de moi-même, de plus grandes ambitions que je ne me l'avouais.

« Ah ! vous écrivez ?.... » Euh..., c'est-à-dire..., eh bien, oui, j'écrivais. En cachette, ou tout comme. Avec une sorte de honte. Avec un mélange très conscient et cruel de suffisance et d'insuffisance. J'avais lu assez de Sénèque, de Montaigne, de Saint-Simon, de Proust pour avoir une idée de ce qu'écrire voulait dire. Et, dans des souffrances qui m'étonnaient moi-même, je suais sang et eau — « Comme on voit le plaisir que vous prenez à écrire !... » — pour aligner, le rouge au front, quelques balbutiements. Le soir après le bureau où j'en faisais le moins possible. Les dimanches et jours de fête. L'été, dans quelques îles, sous un soleil brûlant, avant de me jeter dans une mer où tout s'évanouissait.

Et puis, après avoir nourri, c'était classique, une folle passion pour la philosophie, après avoir traîné dans les couloirs, c'était moderne, d'une organisation internationale, après avoir dirigé un quotidien du matin, et pas le moindre, je vous prie de le croire, l'écrivain du dimanche en est venu, sur le tard, à se changer en quelque chose, je quittais Charybde pour Scylla, comme un écrivain des jours ouvrables. J'entrais dans un bagne aux couleurs de paradis dont je n'avais jamais rêvé.

ce que je voulais faire

De toutes les questions posées par la race meurtrière des biographes et des journalistes en quête, hélas toujours vaine, d'une originalité impossible, il en est une qui revient avec une régularité de métronome : « Qu'aviez-vous envie de faire plus tard quand vous étiez enfant ? » Ce que je voulais faire ? Je m'en souviens très clairement, avec une troublante précision. C'était : rien. J'avais envie de vivre et qu'on me fichât la paix.

La vie me plaisait à la folie, mais je ne savais pas comment la prendre. Je n'aspirais pas, comme les autres, à devenir pompier, infirmier, militaire, banquier. Je ne tenais pas à être bon ; je ne tenais pas à être mauvais. Le pouvoir ne m'attirait pas ; les honneurs, non plus ; faire fortune, pas davantage. Les choses m'étaient un peu égales. Je voulais voir passer le temps dans une indifférence passionnée : voilà le seul signe annonciateur de ma future vocation. J'avais, en attendant, un désir irrésistible de ne rien faire du tout. L'idée d'écrire des livres ne m'avait jamais effleuré avant de me mettre à en écrire. Plus pascalien que nature, ce que j'aimais surtout, c'était de rester immobile dans ma chambre, loin de tout divertissement, peut-être un livre entre les mains, écrit bien sûr par un autre, et de rêver à des choses inutiles.

Ce n'était pas, je crois, que je fusse plus paresseux que les autres enfants de mon âge. Il y avait, au contraire, en moi un mécanisme obscur et franchement déplaisant qui luttait contre ma nonchalance naturelle et me poussait à travailler plutôt plus que mes petits camarades. La clé de l'affaire était que la seule idée d'embrasser, comme ils disaient, une carrière suffisait à me faire horreur.

Suivre une voie plutôt qu'une autre, devenir préfet ou chimiste, m'installer dans un bureau ou devant un établi m'était insupportable. Tout choix me semblait un suicide. J'étais, dès l'enfance, trop heureux dans le présent pour m'engager dans le futur sur un chemin qui écartait tous les autres. J'aurais voulu flotter au-dessus du monde et laisser ouvertes toutes les portes qui menaient vers l'avenir. C'était, je le savais bien, une mauvaise solution. Il aurait fallu me limiter, me jeter dans l'action, prendre un chemin, presque au hasard, à la limite n'importe lequel, et poursuivre jusqu'au bout avec résolution. C'était comme ça, paraît-il, qu'on devenait un homme. Avais-je envie de faire ce qu'il fallait pour devenir un homme ? De prendre un état, selon la formule de l'époque, et de renoncer à tous les autres ? Un tel courage aveugle était au-dessus de mes forces.

Tout me paraissait possible. Rien ne me paraissait nécessaire. Rien ne me tentait plus que le reste. De temps en temps, je me voyais en chirurgien, en cardinal, en chef d'orchestre. Mais les leçons de piano que je devais à ma mère s'achevaient toujours dans les drames, le moindre sang répandu me mettait au bord de l'évanouissement et, dès l'âge le plus tendre, le bien et le mal faisaient dans ma pauvre tête, qui n'était bonne à rien et à peine à rêver, un raffut de tous les diables. Le droit, l'administration, les affaires, la finance, il n'en était pas question. Il y a des limites à l'ennui. Gagner ma vie me révulsait.

Peut-être aurais-je pu devenir cambrioleur ou comédien ? Mes lectures favorites, les aventures d'Arsène Lupin, *Le Capitaine Fracasse, Cyrano de Bergerac, L'Île au trésor,* et jusqu'aux *Pieds nickelés,* m'y invitaient plutôt. Mais ce qui me plaisait surtout, c'était d'en savoir plus sur le monde. Je connaissais un peu la mer, j'aimais déjà beaucoup le soleil. Mes rêves oscillaient entre presque rien et presque tout. Et ils étaient si flous que le jour allait venir où je ne pourrais rien faire d'autre, pour tenter de retrouver un peu de réalité, que de me mettre à écrire.

je vous hais tous

J'étais mal pris. Mon père avait trois dieux : le devoir, le travail et l'État. C'était un honnête homme. Le mot « honnête homme », de nos jours, fait rire ou fait voir rouge. Mon père était un honnête homme d'avant l'ère du soupçon. Il ne trichait pas. Il aimait sa famille, unie de façon implacable, sa femme, qui se trouvait être ma mère, ses enfants à lui et à elle. Il était droit, simple, fidèle, citoyen irréprochable, démocrate affirmé, étranger à l'argent, esclave de ses principes, au bord du jansénisme et tout. Le jeu, la Bourse, le sport, la famille recomposée, les tenues négligées, la plage sous le soleil, la fraude fiscale, le divorce : toutes les variétés de débauche lui étaient inconnues. J'ai souvent raconté qu'il écrivait au contrôleur des impôts pour se plaindre de l'insuffisance des sommes qu'il était appelé à verser à l'État. Les bons mots, la distance, la drôlerie, l'humour ne l'amusaient pas beaucoup. Il aurait voulu que, moi aussi, je fasse enfin mon devoir : il aurait aimé que je travaille avec plus de sérieux et que je serve la République. J'étais incertain et changeant, plutôt ennemi de moi-même. Les autres, je les enviais pour leur calme et je les détestais. J'écrivais quelques pages au titre flamboyant : *Je vous hais tous*. Je ne savais plus où j'en étais. L'avenir, je le regardais d'un sale œil. Je freinais des quatre fers.

un cancre me lâche,
un Tahitien aussi

J'avais un cousin que j'aimais tendrement. C'était un blond aux yeux bleus. Nous nous promenions ensemble à bicyclette dans les forêts de chênes de la Puisaye qui s'étendaient à perte de vue, nous nous jetions dans les étangs envahis de roseaux et je me faisais l'effet, à ses côtés, il était si calme et si doux, d'une sorte de roquet excité et hargneux dont je me méfiais beaucoup. Peut-être parce qu'il avait du mal lui aussi, comme tous les jeunes gens depuis toujours, et comme moi, à trouver sa place dans le monde où il avait débarqué malgré lui, il est parti, assez jeune et de plus en plus loin, pour la Syrie, pour le Pérou, pour Tahiti et pour Bora Bora.

J'avais un frère très brun, avec des yeux en amande et plus bleus que les miens. Je l'aimais. Je l'admirais : c'était un cancre enchanteur. Pendant que je travaillais bêtement, avec une sorte

37

d'entêtement inutile et maniaque, sur l'ablatif absolu et la liste des rois de France que je récitais à l'envers aussi bien qu'à l'endroit, il s'installait au fond de la classe, selon les rites les plus sacrés, près du radiateur. Et il ne faisait rien.

La cérémonie traditionnelle, toutes les semaines ou tous les mois, ou peut-être tous les trois mois, de la remise du carnet de notes, parfois truqué par mon frère de façon éhontée, donnait lieu à des scènes toujours semblables à elles-mêmes et toujours impayables. C'étaient des 4, des 2, des 1 sur 20 et des appréciations peu amènes sur son assiduité au travail. Souvent s'ajoutaient au carnet des lettres plutôt à cheval envoyées à mon père par le directeur de la misérable boîte à bachot où il avait fini par échouer en désespoir de cause. Le directeur, je crois, s'appelait M. Daumas. Il m'apparaissait comme la réplique vivante du directeur de l'école où sévissait Topaze, le héros de Pagnol, dont j'avais lu les exploits dans *La Petite Illustration*. Mon père parlait avec gravité. Ma mère se tordait les mains. Mon frère se dandinait. J'écarquillais des yeux effarés par les leurs.

Mon cousin m'avait lâché. Mon frère finit par me trahir aussi. Un beau jour, le cancre qui n'avait jamais rien fait d'autre que les quatre cents coups entra les doigts dans le nez à l'ENA, inventée de fraîche date, et en sortit, goguenard, parmi les tout premiers, sous les espèces faramineuses, et pour moi consternantes, d'un inspecteur des finances qui ne gardait de son passé de dernier de la classe que des fautes d'orthographe.

L'Inspection des finances, dont le seul nom m'épouvantait, était le sommet mythique de l'État, sa fine fleur, son pinacle, son Olympe. Directeur du Trésor, ou peut-être du Mouvement général des fonds, Clappique, dans *La Condition humaine*, était évidemment inspecteur des finances. Mon père pleurait de joie.

J'avais l'air fin. Je me retrouvais tout seul en face de la République et de mon père qui me bassinait en me conjurant de la servir à mon tour. Un dieu veillait sur moi. J'avais trouvé la parade : je faisais des études.

un brillant imbécile

Je faisais de ces études qu'il est convenu d'appeler brillantes. Ah ! ah ! Autour de l'École de la rue d'Ulm et de son concours de légende auquel préparaient l'hypokhâgne, puis la khâgne d'Henri-IV ou de Louis-le-Grand, se bousculaient les noms de Jaurès, de Blum, de Péguy, de Bergson ou de Sartre. Est-ce que je les aimais, ces études ? Je n'en suis pas très sûr. Elles me servaient plutôt d'alibi. Ce que j'aimais surtout en elles, c'était qu'elles retardaient mon entrée dans un monde réel que je craignais par-dessus tout. Je les avais choisies avec soin pour qu'elles m'en éloignent le plus possible. Pas de carrière : des études.

J'avais commencé par l'histoire. Au moins par procuration, j'étais un arriviste. J'avais un faible pour l'entrée des vainqueurs dans les villes pavoisées et pour ces destins éclatants qui, sortant de presque rien, frôlant les abîmes, déjouant tous les pièges, finissaient par le triomphe et par une gloire un peu lassée. Avec Alexandre le Grand et sa poignée de Grecs au fond d'un monde inconnu, Cléopâtre dans son tapis aux pieds de Jules César, Aliénor d'Aquitaine, reine d'Angleterre après avoir été reine de France, avec Théodora et ses cochers de chars verts ou bleus, avec Gengis Khan qui haïssait la bonté, avec Venise et Samarkand et les mouvements mystérieux du commerce et de la foi, avec le prince de Bénévent et le duc de Morny, suivis presque aussitôt de Staline et de Trotski, l'histoire était pleine d'aventures qui me faisaient rêver. Et elle était un peu dangereuse parce qu'elle pouvait mener à la géographie, aux archives, au droit, à l'économie politique et tomber au bout du chemin dans ces bureaux auxquels je me refusais avec persévérance.

Je passai aux lettres. C'était mieux. On y trouvait un mélange, qui ne me déplaisait pas, de grands seigneurs à la Saint-Simon ou à la Chateaubriand et de voyous à la Villon. On y trouvait des passions, l'amour, le désespoir, le goût de l'ironie ou de l'indépendance, et un rêve de grandeur. Et puis y régnaient les mots, que je préférais à tout. Ils me transportaient de bonheur. J'en faisais collection comme d'autres de timbres-poste ou de billes d'agate et de verre. Il y avait de quoi perdre la tête et de quoi s'amuser. Il y avait aussi de quoi s'inquiéter. Toute une frange de la littérature se situait aux confins de cette diplomatie à laquelle je voyais bien que mon père n'avait pas renoncé à m'acculer et que j'aurais fuie jusqu'au bout du monde. Chateaubriand, Gobineau, Claudel, Alexis Léger sous le nom de Saint-John Perse, Giraudoux, Morand, Romain Gary et tant d'autres étaient des écrivains qui avaient été diplomates ou des diplomates qui avaient écrit. Mon père — qui se méfiait des écrivains et qui, dans le secret de son cœur, leur préférait André Siegfried, patron des sciences politiques, André François-Poncet, archétype du diplomate, amateur d'épigrammes et de traits acérés, successeur de Pétain sous la coupole du quai Conti, François Charles-Roux, le père d'Edmonde, et surtout les deux Cambon, ambassadeurs à Berlin et à Londres — les agitait sous mes yeux comme des marionnettes aux allures de sirènes, comme des carottes devant un âne.

L'affolement me prenait. Il fallait chercher plus loin. La philosophie me jetait un regard. Elle était ailleurs. Et plus haut. Elle faisait un peu peur. Personne autour de moi n'avait jamais osé s'occuper d'elle. Je la trouvais belle. Elle m'intimidait, avec son visage grave et son air un peu hautain. J'avais du mal à saisir tout ce qu'elle me racontait. Je m'approchais avec méfiance. Elle me plaisait beaucoup. Elle m'éblouissait de sa beauté. Elle m'enivrait de promesses. Elle me faisait chavirer. Et avec elle, au moins, j'étais sur des terres étrangères et lointaines d'où aucun raccourci ne risquait de me ramener vers les carrefours trop familiers dont j'essayais de m'écarter dans la confusion et l'angoisse.

Il y a de brillants imbéciles. L'idée me venait, et elle venait aux autres, que j'étais peut-être idiot.

le vertige du monde

C'est autour de vingt ans que j'ai été le moins heureux. Pour la raison la plus simple : je ne savais pas quoi faire. J'avais le vertige du monde. Je l'aimais à la folie. Je n'y comprenais rien. Tout s'embrouillait dans ma tête, sentiments et idées. Avant, dans les jupes de ma mère, autour de la planète avec mon père, évidemment toujours premier puisque j'étais tout seul et que — mon frère derrière son poêle dans sa boîte à bachot — je travaillais entre eux deux jusqu'aux portes de la khâgne et de l'École de la rue d'Ulm, ce n'était que délices : il me semble que je vis encore de cette enfance heureuse. Après, planqué dans des fromages où je passais mon temps à dormir et à gribouiller tout en dormant de petites choses souvent inutiles qui avaient parfois sept cents pages, c'était très supportable. Plus tard encore, c'est-à-dire maintenant, quand tout le travail était fait, ou faisait semblant d'être fait, sous les acclamations des foules d'une bonne demi-douzaine d'arrondissements parisiens et de quelques recoins de notre province profonde où j'étais mondialement connu, c'était redevenu délicieux. Incertains dans leur triomphe, mes vingt ans et leurs environs m'apparaissaient moins plaisants qu'ils n'étaient censés l'être.

Si j'avais, Dieu m'en garde ! un conseil à donner aux jeunes gens traités trop souvent par des flatteurs comme des êtres d'exception, ce serait de prendre leur jeunesse et son mal en patience et d'attendre qu'elle s'en aille. Elle est, comme la vie elle-même, une étape précaire, une maladie qui guérit, une denrée périssable. C'est la préoccupation d'un instant, une épreuve passagère. Courage ! elle passe toujours. D'une façon ou d'une autre : il n'y a pas d'exemple que la jeunesse ne finisse par tomber, après quelques détours, dans la vieillesse ou la mort. Et souvent dans les deux.

le mépris du bonheur

Si vous tenez à écrire, le plus difficile est de trouver la note juste et de choisir le mot exact, le seul qui convienne parmi tous les mots possibles. Ai-je dit ce qu'il fallait sur les épreuves de ma jeunesse et sur ses éblouissements ? Ah ! jeunesse... jeunesse... Passez-moi la bouteille et que je boive un coup. La découverte à dix-sept ans de la pensée et de ce qui l'exprime — le langage — avait quelque chose de foudroyant. Un vertige me prenait. Ce n'était pas le bonheur. Le bonheur à vingt ans est un objet de mépris. C'était beaucoup plus que le bonheur. C'était des cieux qui s'ouvraient. Et ils sentaient le soufre.

Parce que le monde est injuste, j'avais souvent vu surgir à la table familiale, entre la poire et le fromage, les ombres de Virgile, de Corneille, de Goethe, de Clemenceau. J'étais ce que les Byzantins appelaient un porphyrogénète :

j'étais né dans la pourpre. J'appartenais de naissance au monde des livres et de la culture. Tout allait bien. Tout allait mal.

Je découvrais peu à peu le malheur du bonheur et l'envers du décor. Se ranger dès l'enfance du côté des heureux de ce monde et de ceux qui le dominent parce qu'ils détiennent le savoir était un privilège formidable et un danger de mort. Ce qui avait été un atout dans les siècles écoulés devenait un boulet qu'on traînait derrière soi dans une culture rongée, qu'on le voulût ou non, par la dialectique du maître et de l'esclave. J'étais du monde d'Horace, de La Fontaine, de Racine, de Chateaubriand qui donnaient des leçons aux maîtres mais qui étaient de leur bord. L'histoire avait basculé. Les livres et la culture étaient passés du côté de Hegel, de Marx, de Malraux, d'Aragon qui parlaient au nom des esclaves. De Freud qui murmurait des secrets assez peu comme il faut. Peut-être aussi de Sartre qui ne portait dans son cœur et dans son style ni Horace ni La Fontaine et qui pissait, à mon horreur, et je le détestais, sur la tombe de Chateaubriand.

La vie était compliquée. Et la tête me tournait. Je tenais par beaucoup de fils à ce monde évanoui, dominé par le passé, plein de souvenirs et de rites, que j'ai essayé de décrire dans *Au plaisir de Dieu*, mais je ne lui appartenais pas tout entier. Je lui étais attaché et il m'arrivait, Dieu me pardonne ! de mépriser cet attachement. J'avais été élevé dans le culte des philosophes, des droits de l'homme, des grands principes et de la liberté. Ah ! la liberté... À quel monde la liberté pouvait-elle donc appartenir ? Elle me paraissait en l'air, fragile, toujours menacée, aussi étrangère à Hegel et à Marx qu'à Bossuet et à Spinoza, déjà condamnée par Rousseau et par Sade qui s'en réclamaient à grands cris et que mon époque portait aux nues. J'avançais dans les brumes, un bandeau sur les yeux. Je lisais les stoïciens et les épicuriens. Je lisais surtout Montaigne, Swift, Montesquieu, Mérimée, Henri Heine, Oscar Wilde, André Gide. Ils m'apprenaient à me méfier. Nageur entre les deux rives du passé et de l'avenir, j'apprenais l'art, j'ai peur, de ne plus croire en grand-chose.

deux torche-cul

Comment ouvrir la bouche et écrire un seul
mot sans parler de l'histoire qui était en train de
se faire ? Beaucoup de choses sont impossibles
à l'homme. Une des plus impossibles est d'igno-
rer son temps et l'histoire autour de lui. L'histoire, dont prophètes et augures ont annoncé la
fin, coup sur coup, sous le signe du communisme
sans classes, puis de la démocratie libérale, ne
s'est jamais arrêtée. Sur ma génération, celles
d'avant, celles d'après, aura passé l'ombre
sinistre de deux géants en qui l'esprit du mal qui
flotte à travers les siècles se sera incarné : Staline et Hitler. Beaucoup de ceux de mon temps
auront choisi l'un ou l'autre. Une écrasante
majorité d'écrivains, d'hommes de science et
d'artistes, la quasi-totalité de ceux qui se
paraient du nom ridicule d'intellectuels qu'ils
agitaient comme un drapeau avec lequel, d'un

côté ou de l'autre, ils auraient mieux fait de se torcher le cul, se sont ralliés à Staline. Et le reste à Hitler. C'étaient deux génies du mal adulés par les foules et par des esprits distingués. Au moins aurai-je toujours appartenu à l'infime minorité de ceux qui, vomissant Hitler, ont exécré Staline.

Les Français qui sont nés après la guerre contre Hitler ne peuvent même pas imaginer ce qu'a été, en quinze jours, la chute d'une nation aussi ancienne et glorieuse que la France. Il ne restait rien debout d'une aventure de mille ans. Il est facile, après coup, quand vous savez la suite des événements, de refaire l'histoire de cet âge de malheur. À l'époque, l'armée de la France passait, comme sa littérature, pour la première du monde. Elle s'était écroulée à la façon de ces empires de légende qu'une seule bataille suffisait à rayer de la carte. L'Angleterre était aux abois. Encore affaiblie par la crise économique, toujours dominée par l'Europe et ses empires coloniaux, très loin d'être aussi puissante que vers la fin du siècle, l'Amérique était de l'autre côté d'un océan en ce temps-là assez large. L'URSS, qui s'en souvient ? était l'alliée de Hitler. La France était à terre, bonne à jeter au ruisseau.

De Gaulle l'a ramassée. Il est permis de soutenir que Churchill et de Gaulle ont été seuls, tous les deux, à la fin d'un printemps radieux, le plus noir de notre histoire, dans une île assiégée où l'espoir était mince, à dire non à Hitler et à la plus formidable machine de guerre de toute l'histoire du monde. C'est pour cette seule raison que, sans le moindre héroïsme, sans avoir jamais risqué ma vie, le nez dans mes chères études, il y a déjà plus d'un demi-siècle, dans un passé aussi lointain que la guerre de Cent Ans ou la bataille d'Austerlitz, je me suis dit gaulliste.

À voir les choses après coup et, comme disent les imbéciles, à l'aube d'un nouveau siècle et d'un nouveau millénaire, la bataille d'Angleterre et celle de la France libre étaient des combats d'arrière-garde. Nous le savons bien aujourd'hui : la grandeur des nations — de la nôtre en tout cas — est déjà derrière nous. L'Angleterre sortait épuisée de sa lutte héroïque et longtemps solitaire. Victorieuse grâce à de Gaulle, la France était aussi vaincue. Il n'est pas impossible que les Français aient été écrasés en 40 parce que l'idée de nation était déjà, chez eux, profondément affaiblie. Il est permis de s'en désoler : le nationalisme appartient à ce monde évanoui dont je voyais le souvenir se défaire sous mes yeux. L'Europe, d'une façon ou d'une autre, marque le déclin de cette nation que le Général, après tant d'autres Français pendant des siècles et des siècles, avait aimée d'amour.

Personne ne croit plus que son pays soit supérieur aux autres ni qu'il se confonde avec le bien et avec la vérité. L'entropie est en marche. Nous entrons dans un âge de la confusion où, pour le meilleur et pour le pire, tout ce qui distinguait les hommes et leur fixait des bornes finit par se dissoudre. À travers les remous et parfois les épreuves, nous allons vers l'Europe, et, au-delà de l'Europe, vers les grands blocs régionaux, et, au-delà des grands blocs, vers l'unité de la planète. Si belle dans nos livres d'histoire, si précieuse dans nos souvenirs et si chère à nos cœurs, la nation est quelque chose comme le système féodal ou la monarchie absolue : elle tombe déjà dans le passé.

tout fout le camp

Ah ! nous nous sommes battus pour rien ! Bien sûr que non. Nous nous sommes battus pour ce qui était, en notre temps, la justice et la liberté. Il n'y a pas en histoire ni dans le monde où nous vivons, il n'y a pas sous le soleil, il n'y a même pas, je crois, dans cette science si sûre d'elle-même qui va se substituer à la politique et à la religion, de vérité absolue. Tout change, tout passe, tout s'en va. Et nous nous en allons. Nous : vous et moi. Nous aussi : l'humanité. Il n'y a aucune réalité au monde si solide, si stable, si établie soit-elle, dont nous puissions assurer qu'elle est là pour toujours. Le temps, peut-être. Et encore. Je doute un peu, je l'avoue, de son éternité. Aucune institution, aucune valeur, aucun ordre social, ni la famille, ni la République, ni les livres que nous avons tant aimés, ni la Terre, ni le Soleil, ni tout l'ordre des galaxies, ni l'espace lui-même ne sont là pour toujours. Ni l'homme bien entendu. Il n'y a même plus de doute sur sa disparition. Il n'échappera pas au sort commun. Renan disait dans un soupir que la vérité est peut-être triste. Nous verrons ça plus tard. Ce qui est sûr, en tout cas, c'est que nous ne disparaîtrons pas seulement sous les espèces de notre individu. Mais sous les espèces du genre humain dont la condamnation est écrite sur le mur comme celle des dinosaures. Et d'ailleurs de tout le reste.

La nation, bien sûr, disparaîtra avec tout le reste. Et avant tout le reste. Ce n'était pas une raison pour la laisser tomber. La fin au loin de la nation ne donne pas le droit de ne pas se battre pour elle tant qu'elle est encore là. Comme la fin annoncée de l'homme ne nous donne pas le droit de ne pas nous battre pour lui. À chaque instant, dans l'existence, nous donnerions notre vie pour des choses qui ne sont pas éternelles. L'amour est le meilleur et le plus simple exemple d'un attachement qui peut être sans limites à ce qui passera à coup sûr. La démocratie aussi finira par passer. Et un jour cette liberté qui nous est plus chère que la vie. Nous ne sommes pas éternels et nous devons porter sur nos épaules le poids fragile et écrasant de ce qui ne l'est pas non plus.

J'allais ainsi, très tôt — voyez comme c'est amusant, on dirait un petit génie au rabais en train d'édifier une amorce de système —, vers un scepticisme radical et théorique, doublé d'une morale pratique qui pouvait passer plutôt pour un manuel de savoir-vivre. Je ne croyais à rien, en vérité, à rien sous le soleil, et je restais pourtant convaincu que, pour des raisons simples et évidentes qu'il était possible d'énumérer cas par cas et dont il était permis de discuter, il y avait des choses à faire et d'autres à ne pas faire. Des manières de table aux grandes vertus de l'âme, leur liste serait assez longue.

Le système, à supposer que le mot pût être prononcé sans rire, s'étendait à tous les domaines de l'orgueil sans bornes des hommes. Il trouvait une application immédiate dans le royaume enchanté et enchanteur que je mettais au-dessus de tout dans la crainte et le tremblement et dont je rêvais en secret sans oser me l'avouer : la littérature.

La littérature était le lieu par excellence où ce qui était dit le cédait en importance à la façon de le dire. Il fallait, bien entendu, avoir quelque chose à dire. Mais, à la limite, n'importe quoi. On pouvait aimer, haïr, chanter la force ou la pitié, choisir les uns ou les autres, regarder vers le passé ou annoncer l'avenir, s'enflammer pour des lanternes et parfois pour des vessies, rien n'avait d'importance et tout montait jusqu'au ciel. L'*Iliade*, l'*Odyssée*, l'*Antigone* de Sophocle, l'*Énéide* de Virgile, *Hamlet* ou *Macbeth*, la *Phèdre* de Racine, la *Vie de Rancé* par Chateaubriand, *Le Rouge et le Noir*, *Madame Bovary* ou *L'Éducation sentimentale*, sans même parler d'*À la recherche du temps perdu* où c'était trop évident, racontaient des histoires assez simples. Des récits de guerre ou de voyages, des amours à peine compliquées, des conflits d'intérêt, des espérances et des ambitions, des vies comme tout le monde en connaît, et même des baisers à sa mère, le soir en se couchant, et le snobisme le plus ordinaire. Mais ils les racontaient d'une façon inimitable qui en faisait des chefs-d'œuvre. L'art n'a que les ressources de la vie de chacun : il change ce plomb en or.

Prenons deux des œuvres les plus célèbres et les plus élaborées : *La Divine Comédie* et *Don Quichotte de la Manche*. Le truc est presque enfantin : une revue par l'auteur sous la conduite de Virgile — « *tu duca, tu signore e tu maestro* » — des effectifs de l'époque et des trois règnes de l'au-delà ; et le portrait d'un vaincu en une inversion foudroyante des romans de chevalerie qui, de Chrétien de Troyes, de Wolfram von Eschenbach, de Walther von Vogelweide, de Hartmann von Aue, de Gottfried von Strasburg à l'Arioste et au Tasse, avaient chanté les vainqueurs et régné pendant des siècles sur l'esprit des lecteurs. Un règlement de comptes poétique et métaphysique ; une dérision romanesque et mystique. Tout était dans le moment, dans la façon, dans l'invention des mots. Dans le talent aussi, dans le génie. Dans une certaine hauteur de l'expression et du souffle. Tout était dans le style.

La guerre, assurait Napoléon, est un art simple et tout d'exécution. La littérature aussi est un art simple et tout d'exécution. Le premier venu, le dernier arrivé, n'importe qui — et personne ne s'en prive — peut raconter des histoires. Des histoires ? Bravo ! Il en faut. Le nouveau roman en manquait cruellement. Les Anglais savent y faire. Les Américains en réclament. Nous en raffolons tous. Je pourrais vous en débiter à longueur de journée. Mais d'abord la manière. Relisons, je vous prie, n'importe lequel des écrivains qui nous ont faits ce que nous sommes. Ce qui compte d'abord, c'est les mots. Belle découverte ! La littérature, c'est le style. Rien à voir avec le prétendu bien écrire qui est secondaire et médiocre. Une force. Une nécessité. Une passion. Une vision de l'univers qui se résout en langage.

Voici trois des plus grands de la longue lignée des écrivains français : Bossuet, Saint-Simon, Chateaubriand. Bossuet — « Dans l'ordre des écrivains, disait Paul Valéry, je ne mets personne au-dessus de Bossuet » — aurait été surpris et désespéré si quelqu'un avait osé lui murmurer que, du point de vue de la littérature, ses convictions politiques et religieuses n'avaient pas grande importance et n'en auraient bientôt plus aucune, mais qu'il vivrait à jamais par la splendeur de ses mots. Le duc de Saint-Simon, qui se prenait pour un historien, serait tombé de son tabouret s'il avait pu deviner que la postérité ne lui saurait aucun gré de son rôle dans l'histoire en train de se faire ou de s'écrire et le tiendrait exclusivement pour un artiste de génie. Le plus intelligent des trois, Chateaubriand, n'avait pas le moindre doute : il savait depuis toujours que

59

défendre comme lui la monarchie légitime, c'était jouer du pipeau et que ne comptaient que la lune, les tempêtes, les mouvements d'un vieux cœur, les jeunes femmes guettées par la folie et la mort, et d'abord et avant tout la façon d'en parler.

Éblouissant, suprême, Pascal ne convainc plus personne de la vérité d'un jansénisme qui voit le Christ descendre sur terre pour le salut exclusif d'un nombre restreint d'élus. La lecture de Pascal nous prouve aujourd'hui une seule chose : le génie de l'auteur. Il n'y a pas de grand philosophe dont la doctrine ne finisse emportée par le temps. Créon, chez Sophocle, n'a ni plus ni moins raison — ou ni plus ni moins tort — qu'Antigone : ils sont brûlés tous les deux par une foi qui a beaucoup de visages et qui les oppose l'un à l'autre. Et Antigone elle-même ne sait plus, chez Anouilh, si le corps qu'il s'agit à tout prix d'enterrer au nom du respect dû aux dieux et aux hommes est celui de Polynice ou celui d'Étéocle. Je vois la littérature, qui fait défiler tant d'idées, de convictions éternelles aussitôt démolies, de systèmes du monde dernier cri tout à coup démodés et au bord du ridicule, comme la plus enivrante des leçons de scepticisme. La forme impérissable prise par le périssable.

le complexe de César

Ma vie a fini par se confondre avec les livres que j'ai écrits. Il y a eu quelques amours qui ont compté plus que tout. Il y a eu, sur terre et sur mer, sur la neige, dans l'imagination et en songe, un tourbillon de plaisirs. Il y a eu les livres. Et puis, rien. Aime et fais ce que tu veux. Écris des mots : c'est tout.

L'histoire de notre littérature n'est pas avare de débuts fracassants. La première du *Cid*, les tout derniers jours de 1636, dans un jeu de paume de la rue Vieille-du-Temple où s'étaient installés les comédiens du Marais, vaut, en quelques minutes, une gloire inouïe à Pierre Corneille. La parution, à la veille de Pâques 1802, de *Génie du christianisme*, au moment même où Bonaparte rouvre Notre-Dame de Paris et les églises de France abandonnées ou fermées depuis près de dix ans, est un coup de tonnerre. Les *Méditations poétiques* rendent Alphonse de Lamartine célèbre du jour au lendemain. Je suis entré en littérature par une porte assez basse. Une folie m'avait pris : fatigué de n'être rien, je voulais être connu.

Je rougis aujourd'hui de ma médiocrité. Quand je me penche sur ma vie, je ne suis pas fier de moi. J'étais un jeune homme irritant : la tête tournée par Plutarque et par Julien Sorel, je voulais faire de grandes choses et j'ignorais lesquelles. La guerre était terminée. Je n'avais pas été un héros. Je ne m'étais pas battu avec ceux de Koufra ou de Normandie-Niemen. Je n'avais débarqué ni en Sicile ni à Omaha Beach. Je n'étais pas mort aux côtés de Jean Moulin. Comme après tous les désastres, comme après la Terreur ou la Première Guerre mondiale, nous avions soif d'un bonheur un peu désespéré et honteux de lui-même. Le général de Gaulle avait quitté la scène avant de revenir en fanfare et traversait son désert à Colombey-les-Deux-Églises. Dominée par Sartre qui régnait en maître sur la littérature et par les communistes qui, les yeux fixés sur Staline, rôdaient autour du pouvoir jusqu'à l'occuper par intervalles sans jamais le conquérir, la Quatrième ne cultivait pas la grandeur. Moi non plus. Elle ne savait pas très bien ce qu'elle allait devenir ni à quels saints se vouer. Moi non plus. Le souvenir de mes grands hommes était un poignard dans mon cœur. Je rêvais, miséricorde, d'être célèbre à mon tour. Je me répétais les mots inscrits par le jeune Hugo, légende ou réalité, sur ses cahiers d'écolier : « Être Chateaubriand ou rien. » J'avais le complexe de César qui pleurait sur son destin quand il se comparait à Alexandre.

On parle pour demander de l'aide, pour réclamer du pain ou du sel, pour exprimer des sentiments d'affection ou de répulsion, pour donner des ordres, pour réciter des prières. Pourquoi écrit-on ? C'est une vieille question. Aussi vieille, sinon que le monde, du moins que l'écriture — c'est-à-dire assez récente au regard d'un homme qui remonte à quelques millions d'années, d'une vie qui en a quatre milliards et d'un univers qui en compte une douzaine ou une quinzaine de milliards. Il y a moins de quatre mille ans, une paille, un clin d'œil, un éclair, que les livres — qui, de la Bible au *Discours de la méthode* et du Coran au *Capital*, ont façonné ce que nous sommes — dominent notre existence. Ils ne manqueront pas de disparaître puisqu'ils sont apparus.

L'écriture, à ses débuts, consiste surtout à chanter les dieux et les rois, qui sont proches les uns des autres, et à compter des briques, des moutons ou des mesures de blé. Elle est religieuse, solennelle, commémorative, et commerçante. Elle est dominée par l'au-delà, le pouvoir et l'argent. Elle met un peu de temps à raconter des histoires. Le *Poème de la création,* appelé aussi *Exaltation de Marduk*, et le *Gilgamesh* des Babyloniens, le *Livre des morts* des Égyptiens, la Bible, le *Mahabharata* des Indiens, l'*Iliade* et l'*Odyssée* des Grecs, plus tard le *Popol Vuh* des Mayas, présentent des dieux et des hommes engagés dans de formidables épopées. Peu à peu, les dieux s'en vont, le destin se fait moins lourd : ils laissent la place aux hommes et à leur liberté, à la distance, à l'ironie. De Lucien de Samosate et de *L'Âne d'or* d'Apulée à Rabelais et à Cervantès, en passant par les *Mille et Une Nuits* des califes de Bagdad, et les dix mille pages en cinquante-quatre livres du *Genji monogatari* de Murasaki Shikibu, dame de la cour japonaise de l'impératrice Akiko à l'extrême fin du premier millénaire et au début du deuxième, au-delà du discours, de l'essai, de l'oraison funèbre, de la tragédie classique, négligeant l'ode et le sonnet, bousculant les chroniques et les biographies, naît lentement un genre nouveau, un peu flou, difficile à cerner, capable de prendre toutes les formes et qu'attend un bel avenir, peut-être surtout chez les femmes : le roman. J'écrivais des romans pour tromper mon chagrin et le noyer sous les mots.

la vie ne suffit pas

Peut-être Bach et Mozart composaient-ils des cantates et des airs d'opéra pour exprimer leur joie. Peut-être les peintres peignent-ils parce que le monde est beau. Je crois que les écrivains écrivent parce qu'ils éprouvent du chagrin. Je crois qu'il y a des livres parce qu'il y a du mal dans le monde et dans le cœur des hommes. Personne n'écrirait s'il n'y avait pas d'histoire. Et le moteur de l'histoire, c'est le mal.

Tous mes livres sont sortis d'un trouble. J'étais heureux, bien sûr. Mais pas assez pour me taire. « La littérature, écrit Pessoa, est la preuve que la vie ne suffit pas. » Je ressentais comme un manque. Une douleur m'animait. Elle me jetait hors de moi. J'écrivais pour protester. Contre les autres. Et contre moi. Pour changer du chagrin en un peu de bonheur à l'aide de la grammaire.

Le chagrin prenait beaucoup de masques. Des visages de femmes. L'image du grand et vieux château que les malheurs du temps nous contraignaient à quitter. La douleur de ce monde si beau et si triste où je voyais une fête en larmes. Toujours j'écrivais parce que je rêvais d'autre chose et pour me consoler de ma médiocrité. J'étais trop grand pour moi.

Les chagrins que j'éprouvais étaient très loin du malheur qui détruisait la vie de tant d'hommes et de femmes à travers la planète. Sauf peut-être en de brèves circonstances liées à une guerre qui ne m'a frappé que de loin, je n'ai jamais eu faim. J'ai toujours eu un toit pour dormir. J'ai toujours eu autour de moi des livres, de la musique, des choses plaisantes et belles, et surtout des amis. J'ai vu mourir mon père, puis ma mère, et, pour moi qui étais si lié avec eux, ce fut un déchirement. Mais enfin cette souffrance n'était rien d'autre que la règle. Mes chagrins oscillaient entre le superflu et l'inévitable. Ce qui ne les rendait pas moins réels : les hommes meurent de désespoir ou d'amour autant que de misère. « Rompre avec les choses réelles, écrit Chateaubriand, ce n'est rien. Mais avec les souvenirs !... Le cœur se brise à la séparation des songes. »

Peut-être avais-je le cœur plus fragile que je ne croyais : beaucoup de mes livres sont nés de la séparation des songes.

le monde est beau

D'autres sont sortis du spectacle de l'univers. Longtemps, je ne me suis occupé que de moi et de ma place dans ce monde. Je passais mon temps à me mettre devant moi : je ne voyais pas très loin. Un des livres de cette époque portait un titre éloquent : *Du côté de chez Jean.* Cette série-là s'achève avec *Au revoir et merci.* J'en avais déjà ma claque. Des autres, bien sûr. Mais surtout de moi-même. Je déposais mon bilan. Je tirais ma révérence. Puisque je n'avais pas réussi à déclencher des clameurs, je me résignais au silence. J'avais genre trente-cinq ans.

Quelques années plus tard, rebelote. Je revenais à la charge. Le décor changeait. Je me quittais enfin. Je sortais au grand air. Faite de bric et de broc, pleine de voyages dans les livres et à travers le monde, de souvenirs décalés, de collages, de pastiches, de notes en bas de page qui renvoyaient parfois à elles-mêmes, de situations exemplaires et de modèles récurrents, de jeux de miroirs et de bouts de ficelle, avec une fausse chronologie, de fausses cartes, de fausses généalogies, une fausse bibliographie, j'écrivais une histoire imaginaire du monde, peut-être aussi plausible et vraisemblable que la vraie : c'était *La Gloire de l'Empire*. Un canular grandeur nature avec des ambitions.

Il se situait au confluent de deux sentiments : l'émerveillement devant les œuvres de l'homme et la conviction, que je devais en partie à Valéry, de la vanité d'une histoire dont la nécessité ne surgissait que du hasard. Nous sommes tous les enfants d'un passé implacable dont aucun détail, si minuscule soit-il, ne peut être modifié, et pourtant l'histoire universelle, qui ne s'écrit qu'avec des *si* — si Alexandre le Grand n'était pas mort à trente-trois ans sur les bords de l'Euphrate..., si Hitler avait disposé de la bombe atomique... —, aurait pu être très différente de celle que nous enseignons aux enfants de nos écoles. Je me moquais de l'histoire, et je l'admirais.

Je n'admirais pas seulement l'histoire des hommes. J'admirais l'univers qui la rendait possible. Il était inépuisable et il était beau. Nous étions si habitués à y vivre que nous ne voyions plus ni son étrangeté ni sa splendeur. J'ouvrais les yeux. Il me plaisait. Il me faisait tourner la tête.

quelque chose de nouveau

Il y avait quelque chose dans l'air du temps qui était très nouveau et dont les grands anciens des époques écoulées n'avaient presque rien connu : c'était la science. Elle avait fait, de nos jours, des progrès stupéfiants et elle était partout dans notre existence quotidienne, dans l'espérance de l'avenir, et aussi dans nos craintes. Elle avait changé l'image que nous nous faisions du monde et elle nous avait changés nous-mêmes. Je n'y connaissais rien du tout : moins encore qu'à la musique, à la littérature, à l'art. Assez pourtant pour deviner qu'elle dominait le siècle où j'aurai passé le plus clair de ma vie.

On pouvait, de ce siècle, dire toute une foule de choses : qu'il avait massacré, sous les acclamations de beaucoup, une bonne centaine de millions d'êtres humains ; qu'il avait été, comme jamais, angélique et violent ; qu'il avait été marqué par la guerre et par l'aspiration à la paix ; qu'il avait vu la montée et la chute du communisme stalinien, la montée et la chute du nationalisme hitlérien ; qu'il avait été religieux et antireligieux avec la même ardeur ; que l'électricité, les transports, le cinéma, le jazz, la télévision, la pilule, le sida, l'électronique l'avaient successivement ou simultanément transformé ; qu'il avait été témoin du lent déclin de la France, de l'Angleterre, de l'Allemagne, de la Russie, du Japon, déchirés par les conflits, épuisés par les épreuves, toujours plus riches que beaucoup d'autres mais en voie d'appauvrissement ; qu'il avait assisté — en attendant la Chine — au triomphe des États-Unis qui régnaient sur la planète après avoir gagné sans un mort la troisième guerre mondiale, c'est-à-dire la guerre froide contre la Russie communiste ; ou peut-être simplement que c'était la première fois depuis plusieurs millénaires que l'homme se séparait d'un cheval dont il n'avait plus besoin pour se déplacer ni faire la guerre.

Il fallait surtout en dire que la science l'avait bouleversé.

triomphe de la science

La science rendait compte mieux que personne du monde où nous vivions. Et elle le transformait. S'il y avait quelque chose de nouveau à introduire dans le roman, ce n'était pas des jeux de mots, des afféteries littéraires, des songes de violence ou de drogue : c'était la science.

La science avait investi le roman sous la forme de la science-fiction. Les romans de science-fiction étaient des rêves ou des cauchemars, démentis et dépassés assez vite par la réalité. Si la science avait un rôle à jouer dans la littérature, c'était moins sous les espèces arbitraires de l'imagination de l'avenir que dans un effort de rapprochement. Car un des échecs de notre époque était l'opposition des deux cultures séparées par un fossé apparemment infranchissable : la culture scientifique en constant développement dans notre vie de chaque jour et la culture littéraire qui semblait à bout de souffle après avoir régné si longtemps.

Ce qui était frappant dans la science qui occupait peu à peu la place tenue jadis par la philosophie, c'était sa complexité et sa simplicité. Sa complexité : comment oser s'aventurer sur les chasses gardées de la physique mathématique ou de la biologie moléculaire qui avaient successivement dominé les deux moitiés du siècle et qui usaient de méthodes et d'un langage autrement difficiles que ceux de Kant ou de Hegel ? Sa simplicité pourtant : tout l'effort d'Einstein, de ses pairs, de ses successeurs dans les compartiments si divers de la science consistait à rendre compte aux moindres frais de tous les phénomènes de l'univers et de la vie. J'avais lu à grand-peine des livres de physique et de biologie. Tous s'efforçaient de trouver les formules — et peut-être la formule — capables d'expliquer, non seulement avec simplicité mais avec élégance, la complexité du monde.

Le monde auquel je ne comprenais pas grand-chose était rude. Et il était beau. La science à laquelle je comprenais encore moins était rude aussi. Et elle était belle. Elle était surtout aussi proche que possible de ce Saint-Graal au loin, de ce rêve éveillé que nous appelons la vérité. Une phrase d'Einstein, le père de la relativité, dans une lettre à Louis de Broglie, l'inventeur de la mécanique ondulatoire qui établissait l'existence d'une onde associée à toute particule en mouvement, m'avait longtemps fait rêver : « Vous avez soulevé un coin du grand voile... » Et je pensais souvent à Alain qui inscrivait ces mots de feu sur le tableau noir de sa classe d'hypokhâgne ou de khâgne : σὺν ῞ολῃ τῇ ψυχῇ ῞εις τὴν ᾽αλήθειαν ᾽ιτεον — il faut aller à la vérité de toute son âme.

La vérité, ou ce qui en tenait lieu à nos yeux égarés, c'était la science, et la science seule, qui nous en donnait une idée. Sous le soleil au moins, je ne croyais à rien d'autre. La vérité ne nous venait évidemment pas des doctrines politiques, économiques ou sociales, fruits de compromis passagers entre des intérêts opposés, emportées tour à tour par le vent de l'histoire. Elle ne nous venait pas, un peu plus haut, des moralistes, des intellectuels, des poètes, des philosophes qui forgeaient sans se lasser des systèmes contradictoires. Elle ne nous venait pas des religions qui incarnaient ce qu'il pouvait y avoir de plus élevé dans l'esprit inquiet des hommes plongés dans la crainte et le tremblement, mais qui opposaient les esprits au lieu de les rassembler. Elle nous venait de la science qui s'imposait à tous. À travers le big bang qui n'est qu'une hypothèse, l'expansion de l'univers qui est une certitude, les trous noirs, l'ADN, la transformation des espèces, la généalogie de l'énergie, de la matière, de la vie, la science expliquait le monde et elle nous expliquait nous-mêmes.

le chiffre de Dieu

Derrière la science qui change le monde se dissimule un secret : c'est la mathématique. En Inde, à Babylone, en Égypte, en Grèce, dans l'Islam arabe ou persan, en Toscane, à Rome, en Allemagne, en Pologne, à Londres, à Berne ou en Californie, un peu partout depuis cinq mille ans, les hommes inventent les chiffres, la géométrie, le zéro, l'algèbre, les nombres irrationnels ou imaginaires, le calcul infinitésimal, la gravitation universelle ou la relativité, la mécanique quantique ou ondulatoire ou la théorie des cordes, et ils découvrent que le tout est rythmé par le nombre. « *Dum Deus calculat*, assure Leibniz, *fit mundus.* » Et Galilée : « La philosophie est écrite dans le grand livre — je veux parler de l'univers — qui se tient ouvert sous nos yeux. Le livre est écrit dans la langue des mathématiques, sans lesquelles il est impossible de comprendre un seul mot. »

Pourquoi la nécessité règne-t-elle sur l'univers et pourquoi les nombres règnent-ils sur la nécessité ? C'est un mystère plus insondable que la résurrection de Lazare ou les noces de Cana. Aussi obscur que le big bang ou l'origine de la vie. Un homme aligne des chiffres dans le silence d'un cabinet ou d'un laboratoire — et la réalité n'en finit pas de répondre à ses calculs. Il dessine sur du papier un pont qui ne repose que sur des équations — et des voitures et des chars peuvent passer sur le pont. Il établit par des calculs la position d'une étoile que personne n'a jamais vue — et, des années plus tard, un télescope plus puissant que ses prédécesseurs découvre l'étoile inconnue à l'endroit indiqué. La vie, comme l'univers, a une structure mathématique. S'il y a une clé du tout, elle n'est faite que de nombres. Les nombres sont le chiffre de Dieu.

Appuyée sur la mathématique, la science est capable de tout. Elle lutte contre la mort, elle allonge la vie de l'homme, elle le transporte sur la Lune, elle ira plus loin encore, elle résoudra toutes les énigmes, elle est le but et le chemin. Elle rivalise avec la religion qui a longtemps régné, sous des formes diverses, sur l'esprit des hommes et elle occupe sa place. Elle empiète sur la philosophie qui finit, en face de ses instruments et de ses laboratoires, par apparaître comme un jeu de mots. Elle transforme la fatalité en savoir et en liberté. Et l'avenir lui appartient.

échec de la science

Subsiste encore un doute. Si clair, si évident, le progrès de la science ne suscite-t-il pas plus de questions qu'il ne fournit de réponses ? La réalité — qui n'est peut-être qu'un songe appelé réalité — est si prodigieusement inépuisable qu'elle n'en finit jamais de déborder toutes les tentatives d'exploration et de renvoyer sans fin à autre chose. On marche toujours, on n'arrive jamais. La science est un grimpeur qui, au faîte de chaque pic, découvre toujours d'autres sommets qui lui dérobent l'horizon. Une malédiction frappe la science qui court de succès en succès : tous ses triomphes, et ils sont réels, sont des victoires à la Pyrrhus.

À mesure que se gonfle, dans l'océan de ce que nous ne savons pas, la sphère de ce que nous savons, le nombre de points de contact entre savoir et ignorance croît proportionnellement. Le savoir avance de plus en plus vite vers une question ultime qui recule plus vite encore. C'est une course éblouissante et perdue d'avance, une guerre toute faite de victoires qui s'achève en défaite et en aveu d'impuissance. Le ver de l'échec est dans le fruit du savoir. La science ne cerne jamais qu'une illusion de réponse. Elle démonte tous les « Comment ? » qui s'emboîtent en abîme. Elle échoue devant le « Pourquoi ? » qui parviendrait seul à mettre fin au manège.

inversion du progrès

Sauf de rattraper un réel toujours un peu au-delà et de venir à bout de sa richesse sans fin, la science est capable de tout. Elle est même capable de se détruire elle-même. Et l'homme et la vie par-dessus le marché.

Un des drames de notre époque, et peut-être son drame majeur, est le renversement de l'idée de progrès. Pendant quelques millénaires, après des millions d'années de violentes aventures géologiques et animales — éruptions géantes, formation des continents, catastrophes sans nom, chutes de météorites, fin de beaucoup d'espèces vivantes et des diplodocus, alternances de climat... — auxquelles l'homme n'assistait pas mais que, Sherlock Holmes de l'univers, espion des origines, son génie d'investigation et d'imagination a réussi à reconstituer dans un passé lointain, les choses ont très peu bougé. Les enfants vivaient comme leurs parents, César et Chateaubriand mettaient à peu près le même temps à se rendre, à peu près par les mêmes moyens et toujours avec leurs chevaux, des bords de la Seine ou de Lyon en Toscane et à Rome, et l'histoire des hommes restait semblable à elle-même avec ses guerres tribales, ses traités fondateurs, ses couronnements de rois et ses grands mariages que nous avons appris à l'école. Depuis deux siècles ou un peu plus, la science est entrée dans le jeu. Elle a ouvert une ère nouvelle. Et elle a soulevé de formidables espérances.

Nous sortons d'une époque qui a cru dur comme fer, avec ses savants et ses poètes, les Encyclopédistes et Victor Hugo en tête — « Hier était le monstre et Demain sera l'ange » —, que le progrès de la science allait non seulement changer le monde, mais nous donner le bonheur. Et c'est ce qui s'est passé. Ou ce qui a semblé se passer.

La science a changé le monde. Elle a transformé les conditions de vie d'une bonne partie de la planète. Qui, dans les pays riches dits du Nord — mais beaucoup sont au sud, comme l'Australie ou la Nouvelle-Zélande —, accepterait de revenir à ce qu'était l'existence dans les siècles passés ? La santé, les transports, la facilité de la vie ont fait des progrès que personne, hier encore, n'aurait osé imaginer. Les rues des grandes villes, pendant des siècles, ressemblaient à des cloaques. La description par Saint-Simon des souffrances de Louis XIV dans ses années de vieillesse fait dresser les cheveux sur la tête. Aucun d'entre nous ne pourrait plus supporter les épreuves infligées, il y a moins de deux cents ans, aux soldats de la Grande Armée blessés par un boulet et opérés par Larrey sur le champ de bataille. La condition des galériens, des enfants au fond des mines, de l'ensemble des paysans, plus tard des ouvriers, mieux vaut ne pas en parler. Ce qui passerait aujourd'hui pour un accident mineur — un abcès, une jambe cassée, une complication pulmonaire — prenait des proportions effrayantes. Nous guérissons souvent, de nos jours. Et nous nous promenons un peu partout. L'homme de la rue d'aujourd'hui vit plus vieux et moins mal, qui en doute ? que ses arrière-grands-parents. Et pour un oui ou pour un non, il part, en plus rapide et en moins aventureux, sur les traces d'Hérodote en Égypte, de Montaigne, de lord Chesterfield, de Chateaubriand, de Musset et de George Sand en Italie, de Byron en Grèce, parfois de Marco Polo ou de Rimbaud en Asie ou en Afrique. Comme nous vivons bien ! Sommes-nous heureux ?

Peut-être pas tellement plus que nos arrière-grands-parents qui, à nos yeux au moins, étaient si malheureux. Pourquoi ? Parce que nous regardons vers l'avenir après avoir regardé vers le passé et qu'après avoir tant espéré de la science nous commençons à en avoir peur. La science qui nous empêche de souffrir nous invente d'autres souffrances. La science qui guérit et fait vivre est aussi la science qui tue. La science qui nous donne le pouvoir sur le monde est aussi la science qui nous retire tout pouvoir et qui risque, un jour, de nous retirer le monde.

une histoire du bonheur

J'ai souvent rêvé d'écrire une histoire du bonheur. Qu'est-ce que le bonheur ? Sommes-nous heureux ? Bonheur et santé, bonheur et savoir, bonheur et pouvoir, bonheur et argent. Bonheur et devoir.

> *Le jeune homme bonheur*
> *Voulait danser*
> *Mais le jeune homme honneur*
> *Voulait passer.*

Le bonheur est-il le bien suprême ? Y a-t-il autre chose à espérer ? Faut-il mépriser le bonheur ? Médiocrité du bonheur. Le bonheur entre le plaisir et la joie : le plaisir vous envahit, le bonheur est une mer étale, la joie éclate. Le vainqueur du trio, le seul qui aille plus loin et plus haut et qui ait une dimension métaphysique, c'est la joie.

Le bonheur et le passé, le bonheur et l'avenir. À une époque donnée, certains, c'est une évidence, sont plus heureux que d'autres. Est-il possible de comparer l'image que se font du bonheur deux époques différentes ? Un paysan de la Grèce antique, un Quechua ou un Maya d'avant Cortés et Pizarre, un teinturier de Bagdad au temps des califes étaient-ils plus ou moins heureux qu'un professeur, un chauffeur-livreur, un cadre supérieur de notre temps, flanqués de leur voiture, de leur portable et de leur télévision ? La question n'a pas de réponse, elle n'a sans doute pas de sens. Par goût peut-être du paradoxe, Aldous Huxley soutenait qu'un équilibre finissait par s'établir entre les vies dont les contrastes semblaient le plus accusés et que chacune avait son lot de bonheur et de malheur. On peut douter de cette harmonie. Il y a de l'injustice dans le bonheur. Il y a aussi du flou et de l'incertitude. Il est permis de se demander s'il n'y a pas un chagrin propre aux gens heureux et une grâce du malheur. Il n'est pas impossible que le bonheur s'étouffe lui-même dans le présent et qu'il soit surtout vif dans l'avenir à l'état d'espérance — le plus souvent trompeuse — et dans le passé à l'état de souvenir — lumineux ou amer.

La science ne nous apporte pas le bonheur. Sous l'aspect de la médecine, elle nous permet de combattre la souffrance qui se confond souvent avec le malheur. Comme la beauté pour Stendhal, comme l'argent pour chacun d'entre nous, elle est une promesse de bonheur plutôt que le bonheur. Elle est une arme à notre service et qui peut se retourner contre nous. Toutes les inventions de l'homme sont toujours ambiguës. Malgré ce que soutiennent les riches, l'argent suffit à faire le bonheur des pauvres ; malgré ce que s'imaginent les pauvres, l'argent ne suffit pas à faire le bonheur des riches. La science est de la famille des traîtres : elle appartient de naissance au camp de l'espérance et il lui arrive de basculer dans le camp de l'horreur.

éloge de l'inutile

Avec ses moteurs et ses pilules, avec ses machines et ses ordinateurs, la science nous envahit. Nous l'accueillons avec enthousiasme, des drapeaux à toutes les fenêtres, nous nous jetons à sa tête. Elle ne nous occupe pas tout entiers. Quelque chose d'obscur et de gai qui remonte aux temps les plus reculés et où la science n'a pas de part éclaire encore nos vies : les sentiments, les passions, les idées vagabondes, l'imagination créatrice, la liberté des mots. Rire et boire avec d'autres, rêver, dessiner, peindre, chanter devant un feu, faire de la musique et l'écouter, siffler avec les oiseaux, composer des motets, des messes, des opéras, raconter des histoires, écrire et lire des épopées, des odes, des fables, des tragédies. Ou regarder en silence les arbres qui changent et restent les mêmes et les nuages dans le ciel. Ou demeurer immobile, loin de soi-même et de tout, à bénir on ne sait quoi. Cultiver de l'inutile, au moins en apparence. Il n'est pas tout à fait exclu que l'inutile soit plus nécessaire que l'utile. Au bonheur, en tout cas.

Depuis quand cette faculté de penser à autre chose ou à rien, de nous étonner devant le monde, de nous émouvoir de sa beauté, de nous interroger sur notre destin ? Depuis toujours, dira-t-on. Bien sûr que non. Mais depuis longtemps. Depuis plus longtemps que l'invention de l'écriture. Depuis qu'une créature dont nous ne savons pas grand-chose, en Afrique probablement, a découvert l'émotion en levant les yeux vers son semblable, vers le ciel au-dessus de sa tête ou vers la nuit étoilée. Ne traînons pas là-dessus : depuis quelques dizaines ou plutôt quelques centaines de millénaires. Pour toujours ? Bien sûr que non. Puisque l'homme lui-même n'est pas là pour toujours. C'est une chance qui touche au miracle d'être monté dans le train en marche pour rejoindre des êtres peu probables qui ne font que passer et qui en profitent pour rêver.

nous en avons tant vu

La matière sort de l'énergie, la vie sort de la matière, la pensée sort de la vie. Impossible de deviner ce qui sortira de la pensée. Quelque chose d'autre, à coup sûr. Tout change. Mais avec lenteur. Nous ne sommes pas très différents de Socrate, de Parménide, d'Homère. Personne n'ira prétendre qu'ils étaient moins intelligents que nous. Lucy, sans doute, était un peu moins douée pour l'abstraction et la spéculation. Une agilité naît de l'exercice. À force de parler, de parler et de parler encore, nous proférons des choses de moins en moins originales avec de plus en plus de facilité. « Le premier, disait Borges, s'inspirant peut-être de Nerval, qui compara une femme à une rose était un génie. — Oui, répondait Caillois, mais le deuxième était un imbécile. — Oui, reprenait Borges, mais le troisième était un classique. »

Venus trop tard dans un monde trop vieux, nous sommes déjà les quatrièmes, les vingtièmes, les centièmes. Nous sommes au bout, sinon du rouleau, du moins d'un rouleau. Envahis par la science, accablés par les images et la publicité, nous rêvons, nous peignons, nous écrivons, nous pensons à autre chose ou à rien avec de moins en moins de fraîcheur et de plus en plus d'artifice. La littérature est alourdie par les souvenirs et les emprunts. Tout ce que nous pouvons faire, au point où nous en sommes arrivés, c'est de nous répéter sans fin sur le mode de l'ironie et en nous moquant de nous-mêmes avant de nous taire pour toujours. « Le grand homme de demain, celui qui gagnera tout notre cœur, disait déjà Jules Renard, c'est l'écrivain qui n'aura pas le courage d'écrire deux cents pages, et qui posera à chaque instant sa plume en s'écriant : "Qu'est-ce que je fous là, mon Dieu ? Qu'est-ce que je fous là ?" Oh ! nous continuerons d'écrire, il faut bien toujours écrire, mais notre plume se promènera sur les fleurs comme une abeille écœurée. » Nous en avons tant vu : plus grand-chose ne nous épate. Nous n'avons plus de héros, nous n'avons plus de maîtres. Nous avons remplacé la surprise par la fatigue et l'admiration par le ricanement.

Dans ce coin-ci au moins de la planète, dominés par la science et la télévision, enfants de Voltaire, de Flaubert, d'Oscar Wilde, d'André Gide, de Queneau, si différents les uns des autres mais liés par un sens aigu de ce qui pouvait encore être écrit sans trop de ridicule, nous sommes entrés dans une culture de la distance et de la dérision. D'un côté, la science, il n'y a pas de quoi se tordre, qui nous fabrique notre avenir ; de l'autre, sous des rafales d'images, une lassitude et un dégoût mêlés de cris de douleur et de rires un peu fêlés : je crois que tout le monde les entend. Quelque chose a craqué. Nous ne sommes pas encore dans un monde différent. Mais, sans presque le savoir, nous ne sommes déjà plus les mêmes. Pas encore ailleurs. Mais déjà plus ici.

Coincé entre la science et la dérision, je me débrouillais comme je pouvais dans l'espace et le temps où — pourquoi ? mon Dieu ! pourquoi ? — j'avais été jeté sans avoir rien demandé. Un peu après l'invention de l'agriculture, de l'écriture, de la géométrie, du théâtre. Un peu après les prophètes envoyés ici-bas par les puissances de l'au-delà. Au lendemain des grands empires forgés par le fer et le feu et de l'unification de la planète. Juste avant la révolution de la science, de l'électronique et de la communication.

Et si j'étais né ailleurs ? Sur une autre planète, peut-être ? Ou alors sur celle-ci, mais plus tôt ou plus tard ? À Uruk, à Ur, à Lagash, à Mari, à Doura-Europos, sur les bords de l'Euphrate ? Architecte à Karnak, astronome à Samarkand, esclave en Floride ou sous les Ottomans, assureur ou orfèvre à Florence ou aux Pays-Bas, maître de musique chez les Précieuses, pirate à Bornéo ? N'importe qui, n'importe où, il y a deux siècles ou trente, dans cent ans ou dans mille. Ah ! j'aurais été un autre, sous des habits différents, avec d'autres idées et dans une autre langue. Un autre — c'est-à-dire toujours le même : je me serais toujours imaginé que mon destin était unique et que le monde tournait autour de moi. J'aurais toujours joué mon rôle. Plus ou moins bien, sans doute. Empalé ? Pendu ? Brûlé vif sur un bûcher ? Emporté par la peste ou la petite vérole ? Victime d'un naufrage au large de Malte ou des Célèbes ? Enrichi et puissant au terme de longues aventures ? Aphasique et gâteux, abandonné de tous ? J'aurais pu surtout ne pas naître du tout. Quel grand malheur ! Vous ne liriez pas ces lignes.

Vous les lisez. Je suis là.

oubliez-moi, voyagez

J'étais là. Je n'y pouvais rien. Je luttais contre ma bêtise et contre ma paresse : elles tenaient l'une et l'autre une place considérable. Beaucoup se plaignent de leur mémoire. Je me plaignais de ma sottise. Beaucoup se plaignent des autres. Je me plaignais plutôt de moi. Je travaillais. Mais à quoi ? J'essayais d'écrire des livres. J'avais du mal.

Aurais-je pu faire autre chose ? Je ne sais pas. Je voudrais bien me souvenir. Il me semble, en tout cas, que je n'ai jamais poussé très loin mes tentatives avortées de m'agiter ailleurs. Je me méfiais des longs projets. Réussir me faisait horreur. J'ai occupé des bureaux avec des téléphones, et je les détestais. Le hasard me dirigeait. Le plus souvent, pas trop mal. J'avais de la chance à défaut de talent. J'attendais que le temps passe. Il passait. Je m'en veux maintenant

98

de l'avoir laissé passer. Il n'est pas impossible que j'aie tort une seconde fois : il faut laisser les fruits mûrir et la vie s'écouler.

Les livres me faisaient souffrir. Les miens et ceux des autres. Ceux des autres parce qu'ils étaient trop bons. Les miens parce qu'ils ne l'étaient pas assez. Ah ! les flammes de l'enfer. Je feuilletais sans fin *Le Paysan de Paris* d'Aragon, *Le soleil se lève aussi* d'Hemingway ou *Paludes* d'André Gide. Je ne pouvais pas les lâcher. Dans *Le soleil se lève aussi,* il y a un personnage qui s'appelle lady Brett. Elle tombe amoureuse d'un torero si mince qu'il lui faut un chausse-pied pour mettre sa culotte. Tout le monde est très malheureux et boit un peu pour oublier. Dans *Le Paysan de Paris* et dans *Paludes*, franchement, il ne se passe presque rien. Ni drogue, ni sexe, ni poursuite en voiture, ni même psychologie. Non, non : pas de psychologie. *Paludes* est l'histoire d'un auteur qui essaie d'écrire *Paludes*. Ça ne marche pas fort, ça tourne en rond. Il en parle à Angèle, qui est quelque chose comme son amie. Quand *Paludes* sera fini, il écrira *Polders*. Une phrase inoubliable illumine ce manège en forme de festival : « Tu me fais penser à ceux qui traduisent *"Numero Deus impare gaudet"* par "Le nombre deux se réjouit d'être impair" et qui trouvent qu'il a bien raison. » Je rêvais là-dessus pendant des heures et je laissais tomber mon crayon. *Le Paysan de Paris* est peut-être plus simple encore : le héros, dont on ne sait rien, se promène sur les Grands Boulevards et passage des Panoramas. Il profère des mots sans suite. « J'annonce au monde ce fait divers de première grandeur : un nouveau vice vient de naître, un vertige de plus est donné à l'homme... Entrez, entrez dans les royaumes de l'instantané... » Les larmes me venaient aux yeux.

J'aurais voulu plus que tout écrire un de ces livres miraculeux qui sortent de nulle part et qui tombent du ciel dans votre cœur. L'idée d'être homme de lettres ne me plaisait pas tellement. Écrivain, à la rigueur. Et encore. Homme de lettres, plutôt crever. Laisser une œuvre derrière moi, livrée aux mains des biographes, me répugnait presque autant qu'embrasser une carrière. Bien des années plus tard, à propos du *Rapport Gabriel* ou de *Voyez comme on danse*, un critique littéraire me reprocha de ne pas croire à mon œuvre. Les bras m'en tombaient. J'aurais eu honte d'y croire. Je m'en serais voulu de traîner une œuvre dans mes bagages, avec des empreintes un peu partout et des secrets à fouiller. Je laissais les œuvres aux pompeux, à ceux qui font carrière dans les lettres. L'importance n'est pas mon fort. J'ai aimé les livres. Je n'en fais pas un fromage. Je ne fête pas Noël sur ceux que j'ai écrits. Ils ne me montent pas à la tête. J'espère que l'un ou l'autre ont remué quelques lecteurs, qu'un garçon de quinze ans, qu'une jeune femme un peu triste ont rêvé quelques instants à Sosthène ou à Alexis, à Romain ou à Marie. Ce ne serait pas mal. Voilà.

Oubliez-moi. Voyagez. Je ne cours pas les colloques ni les notes en bas de page. Je me moque bien de la place que j'occupe dans nos lettres. L'avenir ne me tourmente pas : l'envie me viendrait plutôt d'effacer toutes les traces de mon passage ici-bas. L'indifférence passionnée que méritent tant de choses en nous et hors de nous parce que nos rêves sont immenses et que nous ne sommes presque rien s'étend aussi à ce machin appelé littérature.

le discours de Krishna

Vous me direz… Euh… Que me direz-vous ? Vous me direz que, pour quelqu'un de si détaché de tout, je me suis bien débrouillé. Ah ! oui, c'est vrai. Je ne tombe pas tout nu du ciel. Je ne suis pas démuni. Je suis même bien couvert. Je ne fais pitié à personne. Je suis installé au cœur même du système. Il y a eu plusieurs occasions où je ne suis pas passé tout à fait inaperçu. Vous me lisez dans les journaux, vous me voyez à la télévision, vous m'écoutez à la radio. Je siège ici ou là. Merci. Merci beaucoup. Je fais ce que je peux et je fais ce qu'il faut.

La *Bhagavad-Gita*, c'est-à-dire le « Chant du Seigneur », est un fragment capital et assez court de l'interminable *Mahabharata*. Déguisé en cocher de char, le dieu Krishna, huitième incarnation de Vishnu, y expose à Arjuna sa doctrine de l'action. Arjuna est engagé corps et âme dans une guerre sans merci. Krishna lui fait valoir que le jeu n'en vaut pas la chandelle. Il lui explique que la vérité est ailleurs et l'exhorte à la distance et au retrait en soi. Au moment où Arjuna, convaincu par le discours du dieu, est sur le point de jeter ses armes, Krishna fait volte-face : il rappelle à ses devoirs le guerrier éperdu et l'invite à se battre en gardant dans son cœur l'amour du détachement.

Nous vivons dans un monde qui est ce qu'il est. On peut le refuser. Je l'ai accepté, et même aimé. Je m'en suis servi. Et il m'a rendu des services. Il m'est arrivé plus souvent que de raison de hurler avec les loups. La télévision m'a amusé. Je n'ai pas craché sur la publicité. Je n'en tire pas de fierté, je n'en rougis pas non plus. Je me suis souvent demandé ce qu'auraient fait du petit écran les écrivains du passé et ce qu'il aurait fait d'eux. Voltaire aurait régné. Hugo aurait tonné. Épuisé, cambré, maquillé comme une roue de carrosse, tombé directement d'un dîner chez les Guermantes, d'un concert chez Mme Verdurin, d'une soirée chez Maxim's dans le cercle des auteurs relégués au bout de la nuit, Proust aurait minaudé et mis tout le monde dans sa poche. Chateaubriand aurait protesté avec éloquence contre la toute-puissance de la télévision, et il n'aurait pas manqué de gémir de ne pas y être invité plus souvent. Aragon aurait fait le pitre — et d'ailleurs il l'a fait. Et, massif, immobile, prodigieusement intolérant, Claudel aurait eu l'air du produit bovin et génial d'une chaisière bourguignonne dans le quartier des Halles et d'un chef de clan japonais dans un film de Kurosawa.

J'ai pris ce qui passait à portée de ma main. Je n'ai pas fui le succès. Je ne l'ai jamais mis très haut, levez la main droite, dites : je le jure, mais je m'en suis arrangé. Même en soufflant assez fort, il n'a jamais suffi à apaiser les doutes que je nourrissais à son égard et à l'égard de moi-même. Je voulais être connu : je l'ai été. Franchement, j'ai pitié de moi. Un mot de Cioran m'a enchanté : « J'ai connu toutes les formes de déchéance, y compris le succès. » Je le savais dès l'enfance : réussir est un désastre et le succès n'est rien. Mais l'échec ne vaut pas mieux. Échouer est trop facile. Le seul prix du succès est dans le refus de l'échec. La seule voie honorable est le chant du Seigneur : je me suis battu tant que je pouvais en gardant dans mon cœur le discours de Krishna.

une cellule sur un théâtre

Il devient de plus en plus difficile de faire le départ entre littérature et publicité. Les deux domaines se rapprochent, se rattrapent, se recoupent, se recouvrent. Longtemps, la publicité a été la servante de la littérature. Elle tend à devenir sa maîtresse — dans les deux sens du mot.

De tout temps, les écrivains ont tâché de s'attirer les faveurs du souverain, de la cour, des puissants, du public. Virgile essaie de plaire à Mécène et à Auguste comme Racine ou Boileau essaient de plaire à Louis XIV. « Plaire » est, avec « plaisir », le mot clé des classiques. Il revient sans cesse sous la plume des plus grands : de Corneille, de Racine, de Molière, de tous les autres. Lisez les préfaces à leurs pièces de théâtre. Ils invoquent pour la forme les fameuses règles dont la principale est l'unité de temps, de lieu et d'action, mais ils ne pensent à rien d'autre qu'à plaire au roi, à la cour de Versailles, au public de Paris et à leur fournir un plaisir qui se situe assez haut.

Le premier à être lancé sur le marché par Grasset, son éditeur, à la façon d'un produit commercial, d'un savon, d'une huile de table, c'est Paul Morand, le conquérant des nouveaux mondes, le globe-trotter de la littérature. Des placards dans la presse annonçaient d'avance la sortie de *Rien que la Terre* ou de *Champions du monde* : « Encore trois jours… » « Encore deux jours… » Le trait en éclair, le ton cassant, l'image qui fait sursauter ne se trouvent pas seulement dans les ouvrages de l'auteur d'*Ouvert la nuit* et de *Lewis et Irène* : ils lui servent aussi de support et d'appât. Déjà avant Morand, mais surtout après lui, la publicité fait partie du jeu littéraire. Ce jeu-là, je l'ai joué comme tout le monde. Et peut-être mieux que beaucoup.

Il y a un temps pour apparaître et un temps pour disparaître. Chateaubriand le savait déjà. Moraliste couvert de femmes, grand seigneur toujours ruiné, catholique et épicurien, également attaché à la monarchie légitime et à la liberté, il a balancé toute sa vie entre la retraite et la gloire. Il n'a jamais cessé de rêver d'une cellule sur un théâtre. Présent avec éclat sur la scène du monde, il avait compris mieux que personne les vertus de l'absence : il est parti pour Rome, qui était loin de Paris en son temps, par souci de sa gloire. Se cacher n'est peut-être que le stade suprême de la publicité. Surtout aujourd'hui où elle nous cerne de partout. Je ne sais plus qui souhaitait être illustre et inconnu. Pourquoi pas ? La publicité est une table de jeu qu'il faut savoir quitter. Pour s'en aller à jamais — et même pour y revenir.

Quel est le trait le plus frappant de la littérature de nos jours ? Elle est nombreuse. On peut se demander s'il n'y a pas aujourd'hui plus d'écrivains vivants qu'il n'y en a jamais eu au cours de tous les siècles écoulés. Plus de philosophes aussi, plus d'historiens, plus de savants et plus de professeurs. Le monde s'est assis à sa table pour réfléchir sur lui-même et pour se contempler. Toute action s'est fondue en pensée. Le sang s'est changé en encre.

Tout le monde écrit. Les hommes, les femmes, les jeunes gens, les retraités, les chômeurs, les désespérées, les politiques — ah ! les politiques… —, les juges, les avocats, les assassins, les hommes d'affaires, les escrocs, les cuisiniers, les actrices, les champions de n'importe quoi, les vainqueurs et les vaincus. Le nombre des romans n'a pas cessé de croître. Nous sommes étouffés sous les livres. Tous les jours que Dieu fait, je reçois trois ou quatre manuscrits et une douzaine de livres. Les mieux emballés sont souvent les moins bons. Et souvent, en les ouvrant, le désespoir me prend. Pourquoi écrire encore ? N'écrivez plus ! Les autres, bien sûr. Moi surtout. À quoi bon ?

Ami de Fontanes et de Chateaubriand qui lui fauche Pauline de Beaumont, le bon Joubert était un égoïste qui ne s'occupait que des autres, une âme qui avait rencontré un corps par hasard et qui s'en arrangeait comme elle pouvait. Il se promenait à petits pas dans les allées de sa propriété de Villeneuve-sur-Yonne en lisant des livres dont il arrachait les pages qui n'avaient pas la chance de lui plaire. Sa bibliothèque était pleine de reliures qui ne contenaient plus que quelques feuillets. Quand on lui demandait ce qu'il pensait des ouvrages de son temps qu'il ne semblait guère apprécier, sa réponse était brève. Il reprochait une seule chose aux livres nouveaux : c'était de l'empêcher par leur nombre de relire les anciens. Un peu passéiste, peut-être. Et un peu réactionnaire. Comme le peintre Degas qui proposait, l'affaire m'avait frappé, de décourager les vocations.

Grand financier de la couronne au temps de la première Élisabeth, auteur de l'*Enquête sur la chute du change*, sir Thomas Gresham donne son nom à la loi selon laquelle la mauvaise monnaie chasse la bonne. La loi s'applique aussi à la littérature. Les nouveaux livres sont-ils tous mauvais ? Bien sûr que non. Il y en a beaucoup de bons. Et quelques-uns d'excellents. La masse des livres inutiles suffit pourtant à donner à tous les autres comme un parfum de vanité, et peut-être d'amertume. Rien n'est plus contagieux que la médiocrité.

L'essentiel, dans ce déluge d'imprimés, est de réussir à se faire remarquer. De tout temps difficile, la tâche devient impossible. Le jeune auteur n'a guère d'autre choix que d'écrire à tout prix de l'explosif et de l'original. Si c'est pour imiter en moins bien ceux d'avant, le jeu n'en vaut pas la peine. Il nous faut du nouveau, n'en fût-il plus au monde. Une tragédie classique parfaitement réussie, un roman de mœurs dans les règles de l'art, une poésie parnassienne ou symboliste n'ont plus leur place parmi nous. Ils ont perdu leur sens et nous ennuieraient à périr. Que faire ? Autre chose. Mais quoi ? Tout le monde, aujourd'hui, est original, explosif et nouveau. Et rien n'épate plus personne. Imiter est inutile, innover est illusoire. Ce qu'il nous faut aujourd'hui, c'est quelque chose d'assez hardi pour ouvrir des voies qui n'aient pas été empruntées, s'il en subsiste encore, et quelque chose de capable en même temps d'attirer le grand nombre qui répugne à ce qu'il ne connaît pas. Pour un temps au moins, avant qu'il ne soit frappé lui-même, et nous n'en sommes pas loin, de banalité et de répétition, le sexe répond assez bien à cette double exigence.

L'érotisme est un art délicat. Il a donné des chefs-d'œuvre. Il traîne derrière lui des tombereaux entiers de navets. C'est un feu de paille qui flambe et s'éteint assez vite. Essayer de passer à la postérité sans le sexe est un pari risqué et le plus souvent insensé. Avec le sexe, c'est un pari presque perdu d'avance. La pornographie d'hier est à peu près certaine de déclencher demain l'hilarité générale. Il faut être Casanova, Sade, Apollinaire, Aragon ou Pierre Louÿs pour élever le sexe à la hauteur de la littérature. Mais Apollinaire, Aragon et les autres appartiennent d'avance à la famille de ces grands écrivains qui n'ont pas besoin du sexe pour écrire des chefs-d'œuvre. Ils s'en servent s'ils veulent, pour notre plus vif plaisir, et ils pourraient s'en passer. Ils font ce qui leur plaît. Et, parce qu'ils sont si grands, ce qui leur plaît nous plaît.

le grand écrivain

Hugo, dès le collège, voulait être Chateaubriand ; de Gaulle, en culottes courtes, écrivait quelques pages où il chassait l'envahisseur et sauvait la patrie ; Alcibiade, encore presque enfant, n'aimait que le vieux Socrate. J'ai grandi à l'ombre d'Homère, de Virgile, de Corneille, de Hugo. Ma jeunesse a été bercée par la romance du grand écrivain. Le parfum de l'encens brûlé en l'honneur de la gloire littéraire me montait à la tête. Il me semble tout à coup — illusion sans doute, puisque je ne pensais à rien — que je n'ai jamais pensé à autre chose.

L'idée, bien entendu, ne me venait pas un instant de jouer, comme ils disent, dans la cour des grands. Ni alors ni jamais. Jusqu'à un âge déjà avancé, autour de trente ans, je n'ai rien écrit, ou presque rien. Non que la littérature me fût entièrement étrangère : je la connaissais plutôt

112

trop bien. J'avais lu, comme tout le monde, des fables de La Fontaine, des tragédies de Corneille et de Racine, des comédies de Molière, quelques bribes de Montaigne, de Pascal, de Bossuet, de Rousseau, de Chateaubriand. J'y avais même ajouté, ne reculant devant rien, des vers épars d'Homère, d'Eschyle, de Virgile, de Lucrèce ou d'Horace. Il n'était pas seulement inutile et inconvenant d'écrire quoi que ce fût après eux, ils appartenaient tous aussi, comment dire ? à un autre monde que le mien. Je les voyais de dehors et de loin. Ils constituaient selon la formule une matière du programme. J'étais tristement nul : je les étudiais en tirant la langue au lieu de me laisser aller, de les voir comme des amis et de jouer avec eux dans la familiarité.

Le grand écrivain règne pendant trois mille ans. C'est beaucoup. Et c'est peu. Le premier, j'imagine, auquel on puisse donner un nom et une allure, si vague et floue soit-elle — et peut-être collective —, est Homère. C'est un génie fondateur, imité par beaucoup de Virgile à James Joyce et dont le culte se transmet de siècle en siècle avec vénération. Avec cinquante mille personnes pour l'accompagner jusqu'à sa tombe, le dernier est peut-être Sartre, qui se défend d'en être un et se débat comme un beau diable. S'il pisse, à mon horreur, vous souvenez-vous ? sur la tombe de Chateaubriand, c'est pour montrer le peu de cas qu'il fait de la gloire littéraire, déjà en train de le guetter. Pourquoi Sartre ne veut-il pas tenir le rôle du grand écrivain que beaucoup voudraient qu'il soit ? Il l'explique avec clarté en une formule célèbre, très digne du grand écrivain qu'il se refuse à être : « Si je range l'impossible Salut au magasin des accessoires, que reste-t-il ? Tout un homme fait de tous les hommes et qui les vaut tous et que vaut n'importe qui. »

Longtemps cultivé, surtout par les Français, comme une essence à part, le grand écrivain sent vaciller sa statue.

non omnis moriar

La postérité était le ressort et le rêve des écrivains d'autrefois. Qu'est-ce qu'un classique ? C'est un auteur que les jeunes gens liront encore après sa mort. Et tous les grands romantiques sont des classiques en ce sens. Le modèle du genre est Stendhal. Ignoré de son vivant — sauf par Balzac : « M. Beyle a fait un livre où le sublime éclate de chapitre en chapitre... » —, inconnu à sa mort — une poignée de fidèles à peine assistent à ses obsèques —, il écrit non seulement pour peu de monde mais surtout pour l'avenir. Il ne vit que dans l'espoir d'être enfin compris et apprécié cinquante ou cent ans après ses échecs successifs : « Je mets un billet à la loterie dont le gros lot se réduit à ceci : être lu en 1935. »

Tout écrivain digne de ce nom sait depuis toujours qu'il faut se méfier du succès. Peut-être est-il exagéré de soutenir qu'il est mauvais signe. Il est permis d'assurer qu'il est neutre : il ne signifie rien du tout. Il arrive à de bons livres de n'avoir pas plus de succès que les mauvais. Et il arrive à de mauvais livres d'avoir plus de succès que les bons. Il arrive même parfois aux bons livres, les choses sont si compliquées, d'avoir un succès imprévu. La qualité d'un livre, tendez vos rouges tabliers, est indépendante du succès qu'il remporte.

La question qui se pose aussitôt est assez simple : qu'est-ce qu'un bon livre ? Si le succès n'est pas décisif, qui donc est juge des livres et de leur qualité ? Les hommes, bien sûr. Sous notre soleil au moins, quelle que soit la question, la réponse est toujours : les hommes. Mais quels hommes ? Les écrivains eux-mêmes ? Bien sûr que non. Je ne sais plus qui disait : « Les écrivains ne se lisent pas, ils se surveillent. » Les critiques ? Vous voulez rire. La lecture des critiques cinquante ou cent ans plus tard est encore plus éprouvante que la lecture des auteurs. Chacun connaît la réponse : le seul juge, c'est le public.

Quel public ? Le public de demain, bien sûr — et pas celui d'aujourd'hui. Les lecteurs d'aujourd'hui ne sont pas seulement aveuglés

par leurs sentiments, leurs passions, leurs intérêts particuliers. Ils sont surtout dominés par
une force violente qui est un des moteurs de
l'art et son farouche ennemi : la mode. Il est très
difficile, à l'époque, de savoir qui, de Gorgias ou
de Socrate, de Racine ou de Rotrou, de Hugo
ou de Barbier, de Balzac ou d'Eugène Sue, est
le grand philosophe, le grand poète, le grand
romancier. Il n'y a jamais que l'avenir pour
donner son sens au présent et les hommes de
demain pour juger ceux d'hier.

Du coup, tout écrivain qui aspire à autre
chose qu'à gagner de l'argent préfère l'avenir au
présent. Il aimerait mieux, s'il avait le choix,
deux mille lecteurs après sa mort que deux cent
mille de son vivant. Ce qui vaut pour l'écrivain
vaut pour tous les artistes. Un peintre, un sculp-
teur, un musicien aspirent à survivre par leur
œuvre. Peut-être — par opposition à l'homme
d'État, au soldat, au financier, au commerçant, à
l'artisan, et, dans une certaine mesure, à
l'homme de science — est-il permis de définir
l'artiste comme celui qui, tel le croyant, met
son espoir dans un avenir bien au-delà de la
vie. « χτῆμα ῞εις ᾽αει » — un trésor pour toujours. Et « *Exegi monumentum aere perennius* »
— j'ai édifié un monument plus durable que

117

l'airain. Et « *Non omnis moriar* » — je ne mourrai pas tout entier. Et

Je te donne ces vers afin que, si mon nom
Aborde heureusement aux époques lointaines
Et fait rêver un soir les cervelles humaines,
Vaisseau favorisé par un grand aquilon...

Et « On l'enterra, mais toute la nuit funèbre, aux vitrines éclairées, ses livres, disposés trois par trois, veillaient comme des anges aux ailes éployées et semblaient, pour celui qui n'était plus, le symbole de sa résurrection. » Et toutes ces sortes de choses.

un rêve évanoui

Ne nous cachons pas la tête sous le sable : il est très probable que l'image que nous nous faisons de l'avenir appartient au passé. Avenir de l'art, où es-tu ? Là où il ne viendrait à personne l'idée de me chercher — c'est-à-dire dans le passé. Il n'y a plus de postérité.

Pourquoi ? Parce que les choses vont trop vite, parce que la télévision est là qui assène et qui brouille, parce que les images se bousculent, parce que le web n'a pas de mémoire, parce que tout est mêlé et mis sur le même plan, parce que le soupçon règne, parce qu'il n'y a plus de héros ni de maîtres à penser. Parce que le temps passe et qu'il ne dure plus. La seule idée de vouloir écrire pour la postérité suffit à déclencher des hurlements de rire.

Comment pourrions-nous compter sur une survie dans l'avenir quand il n'est même plus certain qu'il y ait encore un avenir ? La posté-rité est coincée entre la télévision qui n'en finit pas d'aplatir le monde nouveau et toutes les apocalypses qui risquent de le détruire. Il faut être sûr du lendemain pour pouvoir miser sur lui. L'avenir est devenu aléatoire. Personne n'écrit, ne peint, ne sculpte, ne construit plus de palais ni de temples, ne fait plus de musique avec l'éternité en tête. L'histoire est plus pressée que jamais. L'espérance de vie de nos machines, des images sur nos écrans, de nos messages élec-troniques, de nos modes, de nos doctrines, des objets présentés dans nos expositions et dans nos installations est de plus en plus limitée. Tout est aujourd'hui instable, volatil, délibérément provisoire. La postérité est un rêve évanoui.

On me dira Proust, et Claudel, et Valéry, et Aragon. Pour visionnaires qu'ils fussent, et peut-être parce qu'ils l'étaient, ils appartiennent au monde d'hier. On me dira Picasso. Je sou-tiendrais volontiers, à la suite de Caillois, que, loin d'ouvrir des temps nouveaux, Picasso clôt un cycle. Celui de la légende et des peintres d'éternité. Les artistes de légende sont tombés dans le passé comme les grands écrivains. Oh ! il y aura encore des peintres, des sculpteurs, des musiciens, des écrivains pour produire des chefs-d'œuvre qui enchanteront les foules. La durée, la mémoire, le culte leur manqueront. Ils seront emportés par les torrents d'un temps qui ne se souviendra plus parce qu'il aura trop de souvenirs. Ils seront marqués au front du signe de l'éphémère.

décombres

Bon. Alors, quoi ? Rien, peut-être ? Qui peut le croire ? Le monde change, bien sûr, mais un de ses traits ne varie pas : tant qu'il y aura des hommes, ils aspireront à autre chose. Autre chose que ce qu'ils ont déjà, autre chose que la vie de chaque jour, autre chose que la vie tout court. Ils ne vivent, chacun le sait et l'éprouve, que de rêves et d'espoir. Ils n'ont pas fini de rêver.

Longtemps — refrain, antienne, ritournelle : une poignée de millénaires, autant dire presque rien —, ils ont mis leur espoir dans je ne sais quel au-delà. Le salut, la gloire de Dieu, la vie éternelle, la mémoire de leurs semblables et de leurs successeurs, un monde nouveau et la révolution. Ils ont fait le bien pour être récompensés ailleurs après leur mort. Ils ont peint sur des os, sur du bois, sur des toiles, sur les parois des cavernes ou écrit sur des briques et sur des parchemins pour que leur souvenir soit conservé. Ils se sont battus pour une société plus heureuse. Ils ont travaillé pour l'avenir. Dieu était le but de la vie ici-bas. La révolution était une religion. L'avenir était une promesse. Tout cela s'est écroulé ou a été ébranlé.

Beaucoup se plaignent du présent : l'avenir est au moins aussi rongé de doutes que le présent. Qu'est-ce qui reste ? Pas grand-chose. Malgré la science ou à cause d'elle, malgré le progrès ou à cause de lui, nous sommes guettés par une absence d'espoir. Par trop de choses qui se réduisent à rien. Par un néant surpeuplé. On peut s'y faire. On a du mal. Regardez autour de vous.

Il n'y a plus de vérité : elle passe son temps à changer. La science la détruit au moins autant qu'elle l'établit. Le dernier mot de sa rigueur est la relativité, l'incertitude, l'indétermination, l'impossibilité pour un observateur de ne pas modifier ce qu'il observe. L'idée du bien fait rire. Beaucoup aspirent à quelque chose qui ressemblerait à un devoir. Mais ils ne savent plus où il est. Ils l'ont perdu de vue. Pour que tout ne tombe pas en morceaux, on a mis le vieux vin de la charité et de l'amour dans une outre nouvelle, maniée avec ostentation jusque dans les allées du pouvoir, et on l'a baptisée du nom de solidarité. Traînée de genoux en genoux, injuriée, trouvée amère, la beauté se tord les mains. Personne n'ira plus prétendre que l'art tourne autour d'elle. Fichtre ! notre nom à tous est décombres. Le pire est que nous avons perdu la boussole capable de nous guider dans le labyrinthe de demain. Oui, nous voudrions autre chose. Mais nous ne savons pas quoi.

Nous l'avons appris à la longue : nos rêves sont des illusions, nous construisons sur du sable. Ah ! nous avançons, nous avançons de plus en plus vite, nous ne cessons d'avancer. Mais nous ignorons vers quoi. Peut-être vers notre ruine ? Voilà un bout de temps déjà que la formule court les rues : les hommes font l'histoire, mais ils ne savent pas l'histoire qu'ils font. L'avenir est un gouffre obscur. Quel art peut fleurir là-dessus ? Il faut avoir le cœur bien accroché pour oser encore écrire quoi que ce soit. Pour qui donc ? Et pourquoi ?

Si nous avons cessé d'écrire pour l'éternité, pourquoi écrivons-nous ?

pourquoi écrivons-nous ?

Pour l'argent ? Pourquoi pas ? Avec l'idée derrière la tête d'épater le bourgeois et les classes laborieuses, Drieu la Rochelle roulait des mécaniques : « Pour devenir riche et célèbre. » Et on trouverait, en effet, sans trop de peine, dans l'histoire de la littérature des chefs-d'œuvre nés de commandes. Du hasard. Des circonstances. Et de l'appât du gain. Il est pourtant permis de se demander si c'est la façon la plus sûre de produire de bons livres. Quelques-uns soutiennent qu'ils écrivent parce qu'ils ne savent rien faire d'autre. Beaucoup s'en tirent par des pirouettes. Valéry assurait qu'il écrivait par faiblesse et par distraction. Et Borges, pour quelques amis et pour adoucir le cours du temps. Bon. Cherchons encore un peu. Il n'est pas impossible que nous écrivions parce que nous ne sommes pas seuls et pour ne pas rester seuls. Pour créer des liens plus durables et plus forts. Pour monter un peu plus haut dans la pensée de quelques autres et dans leur estime. Vous voyez ce qui se cache derrière toutes ces grimaces : un obscur élan qui ressemble à l'amour.

Mozart, d'après la légende, demandait à qui le pressait de lui jouer quelque chose : « Dis-moi d'abord que tu m'aimes. » Un double lien se forge entre l'auteur et ses personnages, entre l'auteur et son lecteur. Racine aime Phèdre, qui se croit criminelle. Voltaire aime Candide, qui est une sorte de benêt. Flaubert aime Bouvard et Pécuchet, qui sont des imbéciles, et Mme Bovary, qui est hystérique et insupportable. Et nous, nous aimons Ulysse en dépit de ses ruses ou peut-être à cause d'elles, nous aimons don Quichotte ou l'Idiot en dépit de leurs délires ou peut-être à cause d'eux. Nous aimons le Cid, Alceste et Philinte qui sont à l'opposé l'un de l'autre, Gavroche, le héros, Rastignac, l'arriviste, les filles abjectes du père Goriot et l'invraisemblable duchesse de Langeais, Julien Sorel qui prend la main de Mme de Rénal ou Fabrice del Dongo et Frédéric Moreau. Et mon amie Nane qui ne cultive pas la vertu. Et tant de jeunes filles dans des romans anglais, et de saintes, et de voyous, et de vieillards pernicieux, et d'enfants en train de mourir. Et nous aimons Hugo, et Musset, et Baudelaire, et Toulet comme nous aimons Bach ou la légende de sainte Ursule avec ses navires en fête et ses ambassadeurs, avec l'annonce en songe de la gloire du martyre. Si la littérature, au même titre que l'art, n'est pas une histoire d'amour, qu'est-ce que c'est ?

J'ai longtemps espéré — je le raconte dans l'un ou l'autre de mes gribouillages de jeunesse — que de jeunes femmes penseraient à mes livres et à moi dans les bras de leur mari ou de leur amant. Le temps — notre grand maître — est passé sur ces rêves et ces provocations. J'ai reçu, en un demi-siècle, pas mal de lettres de lecteurs ou de lectrices. Plusieurs me disaient qu'un enfant, une mère, un mari ou une femme, un être aimé plus que tout tenait *La Douane de mer* ou *Au plaisir de Dieu* entre les mains à l'instant de mourir. Et ce lien tissé de larmes me rendait plus heureux que toutes les promesses et toutes les illusions de la postérité.

une fête en larmes

« *Himmelhoch jauchzend, zum Tode betrübt.* »
J'étais gai, j'étais triste. J'étais fou de bonheur. Et
accablé de chagrin. La vie m'a toujours paru déli-
cieuse — et le monde, plein de larmes. Il y a du
mal sous le soleil et je doute que l'histoire en
vienne jamais à bout. Je ne crois pas que demain
sera débarrassé du mal qui affligeait hier. Rêver
d'un monde parfait qui brillerait devant nous est
d'une naïveté meurtrière : beaucoup ont souffert
et sont morts sous le prétexte, séduisant et criminel comme Lucifer lui-même, de changer le
monde en paradis et de rendre aux hommes leur
innocence. Je ne crois pas non plus, inversement,
qu'hier n'était que délices et que demain sera un
cauchemar ni que nous courions à notre perte.
S'imaginer que le bonheur est à jamais derrière
nous, soutenir que le progrès est une illusion, voir
l'avenir comme une menace constitue un des

signes les plus sûrs de la sénilité. Nous sommes la proie depuis toujours de deux tentations symétriques et funestes : l'angélisme et le désespoir. Au-delà d'un optimisme et d'un pessimisme également sans fondement, la vie a toujours été et sera toujours une souffrance — et elle est un miracle : elle est une fête en larmes.

Il y a, comment le nier ? des époques de l'histoire plus lumineuses que d'autres. Et certaines sont sinistres. Comme il y a des périodes de notre vie plus heureuses ou plus ternes. « Je ne me sens pas très bien : il y a des années comme ça. » Les invasions des Mongols ou des Huns, le sort des villes assiégées tout au long de l'histoire, les innombrables massacres qui culminent dans la Shoah, le destin des Noirs ou des Indiens dans l'Amérique des siècles passés restent, parmi beaucoup d'autres, passés, présents, futurs, des souvenirs d'apocalypse. On dirait que le mal court sous des masques innombrables et qu'il explose soudain à la façon d'une bulle ou d'un volcan trop longtemps comprimés. Et sous des formes toujours nouvelles dont notre temps a le privilège peu enviable d'avoir donné une foule d'exemples.

Tout au long de nos désastres sans fin les travaux continuent. Sous les malheurs qui frappent les peuples — et qui ne relèvent pas tous de la malignité des hommes : tremblements de terre, raz de marée, éruptions, inondations, peste noire, grippe espagnole ont longtemps fait plus de victimes que les guerres et la haine —, l'histoire poursuit ses manœuvres souterraines. On dirait qu'elle profite du mal pour mieux placer ses pions. Au point que certains ont pu soutenir que les guerres et les grandes catastrophes sont des facteurs de progrès matériel et moral. Je n'en crois rien, je l'avoue. Le culte de la guerre m'a toujours paru monstrueux. Il se peut qu'il faille la faire, mais toujours sans l'aimer. Je préfère les victimes aux héros.

À voir l'histoire avancer entre tant de périls, je serais plutôt tenté de penser, avec un peu d'audace, qu'il lui arrive de se dérouler toute seule, en toute indépendance, loin des efforts des hommes, comme une sorte de force organique, chargée, en bien ou en mal, de missions mystérieuses. De rétablir l'équilibre. De rappeler les puissants à leur triste condition. De bousculer le monde pour le faire avancer. Sans remonter jusqu'à Moïse qui n'est peut-être qu'une légende, à tant de coups du sort qui changent le cours des batailles, à la tempête qui disperse l'Invincible Armada, deux événements aussi imprévisibles et aussi imprévus que la chute du mur de Berlin, par exemple, ou l'attaque contre les tours jumelles de New York ont pu renforcer ce sentiment, sans doute trompeur, d'une fatalité qui se situerait à mi-chemin entre la mécanique et la métaphysique.

Il y a du mal dans le monde. Il y a du mal dans la vie et au cœur de chacun d'entre nous. Tout le long des siècles se succèdent la lèpre, la peste, la variole, la tuberculose, la syphilis, le cancer, la dépression, le sida, la maladie d'Alzheimer ou celle de Parkinson. On pourrait écrire une histoire médicale qui recouperait l'histoire politique, sociale, économique et littéraire. La phtisie règne au XIXe, encadré par deux figures emblématiques de femmes : Pauline de Beaumont qui, avant de s'éteindre dans ses bras au pied de la Trinité des Monts à Rome, écrit à Chateaubriand : « Je tousse moins, mais je crois que c'est pour mourir sans bruit » et la Dame aux camélias qui, passant du fils du grand Dumas à Giuseppe Verdi, deviendra la Traviata et nous quittera dans des chants entre-mêlés de toux.

À mesure que la science tranche les faces de Gorgone, de nouvelles têtes poussent à l'hydre pour poursuivre le travail et répandre la terreur. Aucun d'entre nous n'est à l'abri du mal qui frappe à coups redoublés. Ce mal — dont le christianisme nous parle avec génie sous les espèces du péché originel et, d'une certaine façon, de l'Incarnation, sacrifice inversé et suprême, offert non plus par les hommes à Dieu mais par Dieu aux hommes pour racheter le mal de l'histoire — ne peut ni s'effacer ni triompher. Nous ne nous en débarrasserons pas et il ne l'emportera pas. L'histoire continue, toujours différente, toujours semblable à elle-même. Elle ne cesse jamais de changer, et elle ne change jamais.

Immobile et inventive, elle a pourtant un début, et elle aura une fin : il y a un sens de l'histoire. Aux deux sens du mot : une direction, liée à la flèche du temps, et une signification. Mais cette signification, nous ne pouvons pas la connaître. Le sens de l'histoire est un secret. Et nos efforts pour le percer sont voués à l'échec. Ceux qui croient l'avoir découvert vont au-devant de grands malheurs. Comme Dieu lui-même, le sens de l'histoire est caché.

Le monde, au loin — très loin —, roule vers une fin inconnue. Après tant d'épreuves, surmontées et acceptées en fin de compte par amour de la vie, à quoi cette fin de l'histoire pourrait-elle ressembler ? À une catastrophe sans nom, j'imagine, et à une paix enfin retrouvée. Quel effroi ! Et quel bonheur ! « *Himmelhoch jauchzend, zum Tode betrübt.* »

le nom de Vancouver

Puisque nous sommes ici avec Goethe, restons-y : « *Wie es auch sei, das Leben ist gut.* » Quelle qu'elle soit, la vie est bonne. Elle est à se jeter par la fenêtre. Et elle est bonne.

Qu'ai-je donc fait dans ce livre depuis ses premières pages, qu'ai-je donc fait depuis toujours, sinon chanter la vie ? Plus que personne dans ces temps qui se sont détournés d'elle, je l'ai aimée et célébrée. Je n'ai ignoré ni ses malheurs ni ses crimes. Je ne lui ai pas voué un culte avec cérémonies et grimaces. Je ne l'ai pas mise sur un piédestal. Je n'ai pas construit autour d'elle un système exclusif et pesant. J'ai murmuré à voix basse et peut-être à peine audible que je m'entendais bien avec elle.

Je l'ai aimée comme une femme. Je lui ai donné du temps que je prenais sur le travail. Il n'est pas impossible que je me sois trop occupé d'elle. Peut-être ne faut-il pas se soucier de la vie, mais seulement de ce qui la peuple et lui donne sa grandeur et un sens ? Je voulais — je m'en repens — en faire quelque chose d'éclatant et de rond qui ressemblât à une œuvre d'art. La conviction m'est venue plus tard que la vie de chacun ne vaut que par celle des autres. Longtemps, je n'ai dansé qu'avec la mienne et, la main dans la main, je l'ai promenée un peu partout.

Nous avons voyagé, tous les deux. Nous traquions le soleil, l'ombre des platanes aux terrasses des cafés et les traces du passé au sommet de collines d'où la vue s'étendait sur la mer. Mon Dieu ! Comme j'ai aimé partir ! J'ai beaucoup sacrifié à ce que Céline appelle un petit vertige pour couillons. Je me répétais avec fièvre le vers de Marcel Thiry :

Toi qui pâlis au nom de Vancouver...

ou celui de Jean de La Ville de Mirmont que Mauriac admirait tant :

Car j'ai de grands départs inassouvis en moi...

J'ai traîné ma vie sur toutes les routes du monde.

Ce qu'il y a de mieux dans le voyage, comme peut-être dans l'amour, c'est après, et surtout avant — quand on monte l'escalier. Partir, alors, se confond avec rêver. J'ai beaucoup rêvé d'Angkor, d'Ispahan, de Samarkand, de Bamiyan, de Fatehpur Sikri, merveille d'Akbar et des Grands Moghols, abandonnée quinze ans après sa fondation parce que l'eau faisait défaut, de Borobudur, de Bali, de Machu Picchu, de Carthagène des Indes, de l'Hadramaout plein de lointain, de Konarak et de Puri où règne lord Jagannath, de Zanzibar ou de Mascate. Les noms, bien sûr, faisaient beaucoup à l'affaire. Je me souviens de déceptions qui venaient de noms qui ne tenaient pas leurs promesses : le terrible cratère d'Aden, par exemple, où flotte encore, autour de la maison Bardey, la légende d'Arthur Rimbaud, ou la rencontre, à Omdurman, près de Khartoum, du Nil blanc et du Nil bleu : ne se dressait dans un paysage sinistre, à la façon d'un échafaud, sans rien autour pour attirer le regard, qu'une balançoire sans enfants. La magie, d'autres fois, m'emportait. Tempête de soleil et d'imaginations. Éblouissements. Mirages. Beaucoup de mes livres, et d'abord *La Gloire de l'Empire*, sont sortis de ces lointains et de ces rêves de lointains.

Je me promenais à travers le monde sans crayon ni papier. L'homme de lettres qui fait son miel de la vie quotidienne, l'observateur qui prend des notes sur ce qu'il voit et entend, je les ai en horreur. Observer est de très loin inférieur à inventer. La littérature ne consiste pas à broder autour d'observations, mais à inventer avec des souvenirs. J'allais le nez en l'air et les mains dans les poches. J'étais léger. J'avais laissé derrière moi tout ce qui risquait de m'alourdir : l'avarice, l'envie, le goût de paraître et toute une province de l'ambition — celle qui aspire aux honneurs et aux grandeurs d'établissement. Voyager, c'est renoncer aux routines, aux ragots, aux déjeuners d'affaires, aux échanges de services, à l'importance codifiée et aux congratulations mutuelles. Je voyais ceux de mon âge grimper au cocotier des emplois et décrocher des timbales le plus souvent de ferblanc. Je me disais que je ferais mieux un jour après n'avoir rien fait.

Je ne faisais pas grand-chose. En attendant de travailler dans un avenir si lointain qu'il en devenait irréel, je cultivais avec ardeur et avec beaucoup de succès l'art de perdre mon temps. J'étais ailleurs et loin de tout. Je n'y étais pour personne avec un mélange d'insolence et d'insouciance. Cette familiarité avec l'absence, ce tutoiement du néant s'opérait dans un cadre bourré de souvenirs et de légendes : je traînais de préférence, en compagnie des ombres d'Ulysse et des Hohenstaufen, des philosophes présocratiques, des tragiques grecs et des peintres vénitiens, des poètes latins et des papes de la Renaisssance, le long des rivages écrasés de soleil de la Méditerranée. Là scintillait mon royaume de lumière et de néant.

Soleil, soleil !... Faute éclatante !
Toi qui masques la mort, soleil...
Tu gardes les cœurs de connaître
Que l'univers n'est qu'un défaut
Dans la pureté du non-être !...

Toujours le mensonge m'a plu
Que tu répands sur l'absolu,
Ô roi des ombres fait de flammes !

J'aimais le soleil. Il m'empêchait de penser. À la mort, peut-être, qui ne m'a jamais fait peur, et aussi à la vie qui me remplissait d'un trouble que je cachais de mon mieux. Le soleil, là-haut, noyait le monde dans sa lumière.

137

Une des images les plus familières et les plus constantes que je garde de moi me représente à Paris dans des bureaux détestés, envahis de livres et de papiers, plus tard de téléphones, en train de lever les yeux à travers la fenêtre vers un ciel sans nuages. L'envie me prend alors avec violence de partir vers le Midi, vers le Sud, vers la Provence ou l'Italie, vers cette Méditerranée semée d'îles, parcourue de voiliers, bordée de cyprès et d'oliviers, dont m'avaient parlé Homère et Virgile et Mistral et Giono. Je partais.

Au bord du lac d'Orta, entre Montepulciano et Pienza, sur les places de Todi ou d'Ascoli Piceno, du côté de Ravello, de Bellagio, de Trani, de Lecce, dans les rues de Split ou de Dubrovnik, le long des plages de Skiathos ou de Symi, au fond des baies de Fethiye ou de Kekova, à Karnak ou à Palmyre, j'ai été heureux. Nous buvions des cafés. Nous rêvions à Frédéric II, roi des Romains, empereur d'Allemagne, roi de Sicile et de Jérusalem, ami de l'islam, ennemi des papes, *Stupor mundi* pour les uns, Antéchrist pour les autres, aux républiques maritimes et à leurs amiraux, au Caravage et à l'Arétin qui étaient des génies et des voyous, à la reine Zénobie, image de l'existence, triomphante et vaincue. Nous allions nous baigner dans les lacs de montagne et dans la mer couleur de vin.

Il y avait de l'angoisse au fond de mon bonheur. Je sentais le temps passer. Il était passé sur les tombeaux, sur les pierres des temples, sur les rivages de la mer, sur tous les souvenirs laissés derrière elles par les époques évanouies. Il passait aussi sur moi. Il me prenait à la gorge. Il se mêlait à l'espace pour mieux me terrifier et me réduire à merci. Le temps ! Le temps ! Le monde était si beau, ma vie était inutile. Le temps... ma vie... mon Dieu ! Qu'allais-je donc pouvoir en faire à force de ne rien faire ?

le temps, et rien d'autre

Rien ne nous est plus proche que le temps. Pour chacun d'entre nous, le temps est aussi proche que la vie, aussi proche que le monde, aussi proche que nous-mêmes. Il est au plus intime de ce que je suis et de ce que vous êtes. Nous pouvons, avec de plus en plus de facilité, nous déplacer dans l'espace. Nous sommes rivés au temps et à notre temps. L'espace est la forme de notre puissance. Le temps est la forme de notre impuissance. Nous sommes les maîtres de l'espace. Le temps est notre maître.

Nous entrons dans le temps par notre naissance. Nous en sortons par notre mort. D'un bout à l'autre de notre existence, il se confond avec nous. L'énergie primitive, la matière, la vie ne sont d'abord que du temps. Et la pensée aussi. Tout ce qu'il y a sous le soleil, et au-delà du soleil, sort d'un big bang travaillé par le temps. Tous, sans exception, les Grecs le savaient déjà, nous sommes les enfants du temps.

Tout ce que j'ai écrit tourne autour du temps. Le premier personnage de *La Gloire de l'Empire*, c'est le temps. Le premier personnage d'*Au plaisir de Dieu* n'est ni le grand-père, joué par Jacques Dumesnil dans le film de Mazoyer, ni la famille, inspirée de très loin par la mienne, ni le château, qui, sous le nom de Plessis-lez-Vaudreuil dans le livre, était Saint-Fargeau dans la réalité et dans le film, mais le temps qui détruit tout. Il est trop clair que le premier personnage de l'*Histoire du Juif errant*, c'est le temps. Je n'ai jamais parlé d'autre chose que du temps.

Le temps se confond à tel point avec chacun de nous qu'il finit par se laisser oublier et par nous échapper. J'ai souvent cité saint Augustin au livre XI de ses *Confessions* : « Si tu ne me demandes pas ce qu'est le temps, je sais ce que c'est ; dès que tu me le demandes, je ne sais plus ce que c'est. » Le temps est une énigme : c'est le moins que nous puissions dire. Et peut-être un secret s'il y a quelqu'un pour le détenir et peut-être un mystère s'il renvoie à autre chose et à un monde inconnu.

Beaucoup de choses autour de nous nous étonnent et nous effraient : l'origine de l'univers et son immensité, le jeu du hasard et de la nécessité, la complexité de la nature et de la vie, le sens de l'histoire et du destin de l'homme, la fatalité de la mort. Par un paradoxe digne d'attention, nous sommes tous dans le temps comme des poissons dans l'eau. Nous nous interrogeons très peu sur un mécanisme qui nous semble aller de soi. Le temps coule. Quoi de plus simple ?

Réponse : tout, jusqu'aux phénomènes les plus complexes ou aux constructions les plus controversées de la physique mathématique, de la biologie moléculaire, de la psychologie des profondeurs ou de la théologie, est plus simple que le temps. Une devinette pour enfants, du genre de la silhouette du lapin à découvrir dans un dessin, peut servir d'introduction à la métaphysique du temps : « J'étais demain, je serai hier. Qui suis-je ? » Vous avez cinq secondes pour trouver « aujourd'hui ». Tout, dans le temps, est de la même farine, où nous ne cessons jamais d'être roulés : une évidence très obscure et de bout en bout invraisemblable.

Le temps, nous ne pouvons ni le voir, ni l'entendre, ni le toucher, ni le sentir. Existe-t-il ?

Oui, hélas ! il existe. Et il n'a pas l'ombre d'existence. Le temps est insaisissable jusqu'à l'inexistence. Et il est la chose au monde dont on peut le moins douter. Le langage aussi et surtout la pensée ont des modes d'existence un peu flous. La parole n'est pas un objet, une plante, un animal. Et la pensée, encore moins. Ce sont de drôles de choses. Nous savons au moins d'où elles sortent : elles sortent de nous, de notre gorge, de notre bouche, de nos lèvres, de notre cerveau. Coupez la langue : plus de langage. Coupez la tête : plus de pensée. D'où vient le temps ? Personne ne le sait. Qu'est-ce que c'est ? Nous l'ignorons. Il est là. C'est tout. Et même un peu là, puisqu'il règne sur un monde dont il est la trame et le cœur. Le jour succède à la nuit et les années passent sur nous.

Le temps passe. Qu'est-ce qui passe ? Cette gelée sans masse et sans forme, ce courant impalpable que nous appelons le temps ? Ou le monde autour de nous et chacun d'entre nous ?

Le temps s'en va, le temps s'en va, ma dame ;
Las ! le temps, non, mais nous nous en allons.

Où est le temps ? Que fabrique-t-il ? Le temps est-il en nous ou sommes-nous dans le temps ? Que serait le temps s'il n'y avait pas des hommes pour le penser ? Le temps est-il éternel ou a-t-il eu un début comme la matière et l'espace, et aura-t-il une fin ? La tête se met à nous tourner. L'éternité nous paraissait, quand nous étions enfants, difficile à comprendre. Le temps, si familier — l'alternance du jour et de la nuit, les saisons, les années, les horloges, l'heure du travail et des repas... —, est autrement compliqué que le néant sans histoire ou que l'éternité. Imaginons un instant que nous devions expliquer le temps à quelqu'un qui n'en aurait aucune idée. À un esprit, par exemple, surgi du néant ou de l'éternité — peut-être se confondent-ils ? — comme dans *La Douane de mer*. Que pourrions-nous lui dire ?

les trois royaumes

Nous lui dirions... ah ! franchement, j'ai du mal... quelque chose, j'imagine, qui ressemblerait à ceci :

« Les hommes vivent dans trois royaumes qui en constituent un seul sous le nom d'univers : l'espace, le temps, la pensée.

Le plus simple est l'espace. Il y a des choses différentes et qui ne se confondent pas entre elles : des atomes, des étoiles, des mers, des arbres, des brebis — et des hommes. Elles sont séparées les unes des autres par des distances mesurables et qu'en principe au moins il est possible de franchir.

L'espace, qui est si simple, est déjà compliqué. Il nous paraît évident. Il ne l'est pas. Les idées de différence, de séparation, de distance, de mesure sont très obscures. Moins obscures pourtant que ce qui nous guette avec le temps.

145

L'espace est de l'ordre de la coexistence. Tout est là. Tout est présent. Le temps, qui lui est attaché par des liens diaboliques, est de l'ordre de la succession. Rien n'est là. Rien n'est présent. Ou, du moins, pas pour longtemps. Les clés du domaine qui est confié aux hommes ne leur sont pas livrées d'un seul coup. Il y a un avant et un après. Il y a hier et demain. Un pinceau magique passe sur les choses répandues dans l'espace et sur l'espace lui-même — et aussi sur la pensée — un vernis impalpable que nous appelons le temps. Ou encore, autrement : toutes les choses sans exception, jusqu'aux idées et aux rêves, sont plongées dans un fleuve qui ne cesse de couler. Ce fleuve, que nous appelons le temps et qui constitue le deuxième royaume, entre l'espace et la pensée, n'a, pas plus que le vernis appliqué sur les choses par le pinceau magique, aucune existence propre. Il se confond avec les choses mêmes, avec l'espace, avec la pensée, avec l'univers tout entier. On peut aussi bien dire des choses, de l'espace, de l'univers et de nous que nous sommes dans le temps ou que nous sommes le temps lui-même. Chez nous, dans l'univers, de part en part, tout est temps. Le temps règne sur les atomes, il règne sur les étoiles et il règne sur la pensée.

Hors du temps, il n'y a rien. Il y a l'éternité et il y a le néant. Les enfants qui ne sont pas nés ne sont pas entrés dans le temps. Les morts en sont sortis. S'il y a un Dieu, il est hors du temps. S'il y a quelque chose hors du temps qui ne soit pas le néant éternel, nous l'appelons Dieu.

Vernis imaginaire, fleuve sans réalité, le propre du temps est de faire apparaître de l'inconnu et de faire disparaître du connu. L'inconnu se situe dans un avenir impatient de se changer en présent, le connu joue son rôle sur la scène du présent et la quitte en hâte pour se changer en passé.

Oui, je sais, toute cette mythologie est compliquée jusqu'à l'absurde. Elle peut passer pour un rêve fou et paraître inventée. Elle constitue pourtant, avec une simplicité enfantine, ce que nous appelons réalité. Les enfants des écoles ont du mal à apprendre les chiffres et les lettres, constructions mystérieuses qui n'ont aucun sens en elles-mêmes et sur lesquelles repose tout l'édifice de la pensée. Le plus démuni d'entre nous, le dernier des demeurés, le plus arriéré des idiots comprend, comme par miracle, l'invraisemblable mécanisme, autrement complexe que le zéro et l'alphabet, du déroulement du temps.

Il sait qu'il y a quelque chose devant nous — où ? il ne le sait pas, mais personne ne le sait — que nous appelons l'avenir. Et quelque chose derrière nous, et d'abord dans notre tête et dans notre souvenir, que nous appelons le passé. Il sait que l'avenir, pour chacun d'entre nous, et peut-être pour l'univers, ne cesse jamais de décroître. Et que le passé ne cesse jamais de gonfler. Il sait, et c'est déjà beaucoup, que la mort arrive quand notre passé a fait son plein et qu'il n'y a plus d'avenir. Il sait que le temps passe. Il sait qu'hier n'est déjà plus là, que demain n'est pas encore là et que nous vivons dans le présent.

Le statut du présent illustre à merveille le mécanisme du temps. Le présent est tout simple : c'est maintenant. Mais il y a un lézard, et un coup de théâtre n'en finit pas d'éclater : maintenant ne met jamais longtemps à n'être plus maintenant.

Le moment où je parle est déjà loin de moi.

Le présent, chacun le sait, ne cesse jamais de s'évanouir — et nous ne cessons jamais de vivre dans le présent. Le ver est déjà dans le fruit comme le mal est dans le monde. Nous sommes dans un évanouissement que nous appelons le réel et qui n'est qu'illusion. Dans une illusion qui n'est rien d'autre que le réel. Nous sommes une chute dans le néant qui se confond à chaque instant avec une résurrection.

L'univers est une machine à créer du passé à partir de l'avenir. La mission de l'avenir est de se changer en passé. Entre l'avenir et le passé flotte un truc stupéfiant que nous appelons le présent. Présent ! Le présent est absent. À peine l'avenir s'est-il changé en présent que le présent tombe dans le passé. C'est un piège perpétuel, une trappe qui se ferme et se rouvre en même temps, un tour de magie noire et blanche dont nous sommes les victimes, un enchantement sans fin dont nous sommes les témoins aveuglés par eux-mêmes. La totalité de l'histoire, qui n'est faite que du souvenir du passé et de l'attente de l'avenir, se joue dans le présent. Nous vivons dans un éternel présent toujours en train de s'effacer et toujours en train de se récrire. La seule image de l'éternité que nous puissions nous faire est une image d'éc(r)oulement.

Le monde est métaphysique parce qu'il est plongé dans le temps. Et le troisième royaume, qui est celui de la pensée, est loin au-dessus du temps. Plus loin encore au-dessus du temps que le temps n'est au-dessus de l'espace. »

la grande gaieté

Je pense très peu. Et quand je pense, je ne pense à rien. Je ne suis même pas sûr d'avoir des opinions. Je me demande le plus souvent si les autres n'ont pas raison contre moi. La seule chose que je sais, c'est que le monde est un secret et que nous sommes une énigme. Je ne sais pas si le secret sera jamais levé ni s'il y a une clé de l'énigme qui serait cachée quelque part. Mais il y a une énigme et il y a un secret.

Il n'est pas exclu que le monde soit un secret sans détenteur et une énigme sans solution. Il n'est pas exclu qu'il y ait un maître du secret et une réponse à l'énigme. Que le monde soit absurde ou qu'il soit un mystère, il nous pose une question. Ce qui est impossible, c'est de nous contenter des trompeuses apparences et de classer le dossier. Ce qui est interdit, c'est d'être satisfait. Tout ce que j'aurai réussi dans ma vie, c'est à saluer le monde, à bénir sa beauté, à me réjouir de ses plaisirs. Et à essayer de comprendre, mais en vain, ce qu'il me murmurait. Car une gloire si radieuse n'est pas donnée aux hommes. En tout cas, pas à moi.

Voilà, en fin de compte, après avoir tant hésité, le métier que je voulais faire et que j'avais tant de peine à décrire à mon père : aimer la vie, comprendre le monde. C'est une belle tâche. Et assez lourde. Il y aurait fallu, je le crains, plus de courage et d'intelligence que je n'en ai jamais eu.

Au moins aurai-je appris à mépriser pas mal de choses que j'avais beaucoup aimées et à me moquer d'elles — et d'abord de moi-même. Ceux qui prennent le monde pour ce qu'il paraît, la gravité les habite, et l'esprit de sérieux. Regardez-les, écoutez-les : ils sont chiants à mourir. La gaieté, la grande, s'installe un peu plus haut. Le secret et l'énigme rendent la vie très comique.

Le temps est un miracle, à chaque instant per-
pétué. Le plus grand des miracles. Et peut-être
le seul. À moins que le seul miracle ne soit le
monde lui-même. J'aimais d'autres merveilles.
Des merveilles subalternes, et pourtant écla-
tantes, qui se confondent avec nous et ne nous
étonnent même plus.

Le mouvement, qui se sert du temps pour
l'emporter sur l'espace — il faut deux heures et
demie, en marchant d'un bon pas, pour franchir
à pied la douzaine de kilomètres qui séparent
Saint-Fargeau de Saint-Sauveur-en-Puisaye, la
patrie de Colette — et qui se sert de l'espace
pour mesurer le temps, avec l'ombre du style
qui se déplace sur le cadran solaire, l'eau de la
clepsydre, le sable du sablier, les aiguilles de
l'horloge. La lumière — non pas même la couleur, mais la simple lumière, qui baigne notre

monde pour lui permettre de vivre et nous permettre de voir. L'œil, qui est une chambre noire, intégrée à chacun de nous, stupéfiante de précision et d'efficacité, origine de toute science, de la géométrie, de la peinture et de l'architecture, d'un pan immense de l'art. L'oreille, qui n'est pas mal non plus et nous ouvre tout un règne dont nous ne pourrions rien savoir, que nous ne pourrions même pas imaginer si elle n'existait pas : celui du son, du bruit, de la parole, de la rumeur de la mer et du vent, de la musique des sphères et des hommes, des cantates de Bach et des negro spirituals, et du chant des oiseaux.

Pourquoi, à vrai dire, s'arrêter en si bon chemin ? La litanie n'a pas de fin. Le spectacle se poursuit. L'époustouflant concert ne cesse jamais sur le monde. Le cœur ou les reins ou le foie ou le sexe dans le corps de l'homme ou des phoques, des éléphants, des girafes, des sapajous, de votre chien de garde ou de mon chat de gouttière qui nous ressemblent tant puisque nous sortons tous du même moule, les mécanismes savants des éponges, des graminées, des baobabs ou des chênes, des abeilles ou des fourmis et ceux des volcans, des marées, des trous noirs, des galaxies en fuite, de la gravitation universelle et des autres forces fondamentales qui commandent la marche, si incroyablement compliquée et si incroyablement simple, des atomes et des quarks ou des objets célestes dans l'espace et dans le temps : tout cela, rouages minuscules et immenses, ineffables merveilles que nous constatons sans pouvoir en comprendre les motifs et les fins, est, dans une inflexibilité aux ressources innombrables, de l'ordre de la stupeur et au-delà de tout savoir. D'un bout à l'autre de la création, hasard et nécessité n'en finissent jamais d'abattre leur boulot.

la tête à Toto

Il n'y a peut-être que deux questions qui vaillent la peine d'être posées. Les autres... La première, très présente dans ces pages qu'elle a beaucoup occupées, est privée et ne concerne que moi — ou que vous. C'est, selon les époques : « Que vais-je faire de ma vie ? » ou : « Qu'ai-je donc fait de ma vie ? » Les réponses sont innombrables et nourrissent nos romans et jusqu'à ce livre-ci : la foi, la guerre, la charité, la révolte, l'ambition, le pouvoir, le travail, la paresse, l'argent, le savoir, la curiosité, le sexe, les amours ou l'amour, l'art, le sport, la philosophie, la poésie, les voyages, la gourmandise, l'alcool, les drogues plus ou moins dures, le plaisir, le bonheur et toute une foule d'autres pistes qui mènent jusqu'aux sommets, jusqu'aux abîmes, jusqu'à la gloire ou au suicide — et souvent à rien du tout.

L'autre question nous dépasse de beaucoup : « La vie sort de cette Terre qui est un fragment minuscule de l'univers. D'où sort l'univers ? » Sur la première question, nous pouvons toujours agir — si peu que ce soit et de moins en moins à mesure que le temps passe et que la mort s'approche — et nous sommes là pour ça, ou nous avons l'illusion que nous sommes là pour ça. La seconde nous laisse stupides. Elle a pour première fonction et pour première conséquence de nous jeter dans l'admiration, dans l'effroi et dans les lieux communs.

Aucun de nous, j'imagine, dans les nuits d'été peuplées d'étoiles sans nombre ou, plus bêtement encore, au coucher du soleil sur la mer ou derrière les montagnes, n'a échappé à cet effroi ni à cette admiration, ni surtout aux lieux communs. Des sentiments confus et des semblants d'idées se bousculent en rafale. La Lune est-elle plus près ou plus loin de nous que le Soleil ? Pourquoi le jour et la nuit se succèdent-ils l'un à l'autre ? Y a-t-il d'autres soleils ? D'où vient le nôtre ? Où va-t-il ? Toutes les étoiles sont-elles à la même distance de la Terre ? Qu'y a-t-il au-delà d'elles ? Et encore au-delà ? Soulevées depuis la nuit des temps, toutes ces interrogations, et les autres, ont des réponses assez simples et que, de nos jours au moins, même les enfants connaissent : dans la banlieue de la Terre — à moins de quatre cent mille kilomètres —, la Lune tourne autour de nous en un peu moins d'un mois ; la Terre tourne autour d'elle-même en vingt-quatre heures et autour du Soleil — à cent cinquante millions de kilomètres de la Terre — en à peu près un an ; le Soleil est une étoile comme les autres et toutes les étoiles sont des soleils ; notre Soleil est né il y a cinq milliards d'années et, ayant encore devant lui cinq milliards d'années de bons et loyaux services, il est à peu près au milieu de sa brillante carrière ; les étoiles sont à des distances très différentes et énormes à la fois de la Terre et les unes des autres ; au-dessus de nos têtes se déploie notre galaxie, que nous appelons la Galaxie — la Galaxie par excellence et avec un G majuscule — ou encore la Voie lactée ; il y a, dans notre Galaxie, quelque chose, je ne garantis rien, comme une centaine de milliards d'étoiles, et, au-delà de notre Galaxie, je n'en sais rien du tout, ne prenez surtout pas ce que je vous en dis pour parole d'Évangile, encore une centaine ou peut-être quelques centaines de milliards de galaxies contenant chacune quelques milliards d'étoiles.

Exercice pratique : sachant que la lumière parcourt trois cent mille kilomètres à la seconde et qu'une année-lumière constitue la distance franchie par la lumière en un an, calculez en kilomètres le diamètre de notre Galaxie, évalué à quatre-vingt-dix mille années-lumière. Rêverie inutile et funeste : ayant appris, grâce à Hubble, astrophysicien américain de génie de la première moitié du siècle dernier — il mériterait un roman —, que l'univers est en expansion et que les galaxies, par milliards, s'éloignent les unes des autres, asseyez-vous avec calme, respirez un bon coup et demandez-vous furtivement ce qu'il peut bien y avoir au-delà de la galaxie la plus lointaine que nous puissions imaginer. Il n'est pas impossible que la réponse à cette question, qui revient à demander ce qu'il y a au-delà de l'espace, soit la même qu'à la question : « Qu'y avait-il avant le temps ? » ou à la question — peut-être identique ou peut-être différente, on ne sait pas, et peut-être d'ailleurs absurde : « Qu'y avait-il avant le big bang ? » Et il n'est pas impossible que cette réponse unique soit : rien.

Rien. Ah ! ah ! Rien ! Voilà que pointe le bout de son nez le Grand Satan de l'univers. Rien. *Nihil. Niente. Nada. Nichts. Nothing.* Si simple, presque impensable, l'absence de quoi que ce soit. Le néant absolu. Zéro plus zéro, et même pas la tête à Toto. L'autre Grand Satan, celui de l'histoire et du roman, c'est le mal. À eux deux, les indicibles, les farouches, les athlètes de la nuit, le néant et le mal, ils taraudent l'univers et creusent leurs trous sinistres dans la réalité. Ils sont les Laurel et Hardy de la négativité, les Footit et Chocolat de l'envers de toute chose. Ils font vaciller l'existence, ils chantent son peu de réalité, ils montrent sa face d'illusion, ils sèment sur leur passage la destruction et l'horreur.

Toujours dans le livre XI de ses *Confessions*, dont nous avons déjà vu l'ombre rôder au loin devant nous, saint Augustin, qu'on n'imaginait pas si farceur, évoque — pour d'ailleurs mieux l'écarter — une réponse possible à une question assassine. La question est : « Mais que pouvait bien faire Dieu avant l'entrée en scène du temps ? » Et la réponse : « Il préparait tous les supplices de l'enfer pour ceux qui auraient l'audace de poser cette question. »

tout est là dès le début

Entre les deux guerres mondiales, Edwin Hubble, reprenant et confirmant les travaux de Friedmann et de l'abbé Lemaître, établit que l'univers est en expansion. C'est une révolution. Aristote et les Anciens pensaient que l'univers était éternel et immobile. Il bouge, il est en mouvement. Et il va vers sa fin. On pourrait presque soutenir qu'il vit. Il grandit en tout cas, à la façon d'un arbre, à la façon d'un enfant, avant de mourir comme tout le monde.

Continuera-t-il à s'accroître tout au long des millénaires et des millénaires de millénaires ? La réponse est douteuse. Elle dépend d'un truc obscur que les astrophysiciens appellent la « masse cachée de l'univers ». Selon l'importance de cette masse cachée — non, vous n'allez pas me demander des détails ni de quoi il retourne —, les galaxies continueront à s'éloi-

160

gner les unes des autres ou, inversant leur mouvement avec plus ou moins de brutalité, elles commenceront à se rapprocher et à se resserrer les unes contre les autres. Peut-être, les savants ne savent pas, l'expansion finira-t-elle par se renverser en une contraction symétrique et brûlante ou peut-être — et c'est l'hypothèse aujourd'hui qui semble la plus probable — se poursuivra-t-elle jusqu'à une dissipation indéfinie et glaciale ? Dans une hypothèse comme dans l'autre, le tout se précipite — avec une sage lenteur — vers sa disparition. Pas plus que vous ou moi, pas plus que le genre humain, pas plus que le Soleil ou que notre planète, l'univers n'est éternel.

Un astronome expliquait un jour à des auditeurs que notre Soleil, qui a cinq milliards d'années, va finir par disparaître, épuisé, à bout de souffle, telle une pile qui s'éteint, dans cinq autres milliards d'années. À ces mots, dans le public, une jeune fille s'évanouit. Ses voisins se portent à son secours, lui tapotent les joues, lui font boire un verre d'eau. Elle revient à elle.

— Que se passe-t-il ? lui demande un vieux monsieur bienveillant.

— Comment, que se passe-t-il ! Vous avez entendu comme moi.

— Entendu quoi ?

— Que le Soleil allait disparaître dans cinq millions d'années.

— Mais non, mon enfant ! Dans cinq milliards d'années.

— Ah ! bon ! J'avais compris cinq millions.

Cinq millions d'années ou cinq milliards, qu'est-ce que ça peut bien nous faire ? Nous nous fichons pas mal d'un avenir qui n'est pas immédiat. Nous vivons dans un présent légèrement prolongé, dans un sens ou dans l'autre, par le souvenir et le projet. Ce qui nous intéresse, c'est ce que nous ferons demain ou après-demain. À la rigueur, dans un an ou dans deux. Avant nous, au loin, une brume peuplée de sauvages. Après nous, le déluge. Nous sommes pourtant liés aux grands espaces et à la longue durée. Que nous descendions de primates, que nous soyons promis à l'extinction, qu'un fil coure des étoiles aux atomes et à nous n'est pas sans conséquences sur l'image que nous nous faisons de nous-mêmes et sur notre vie quotidienne.

Remarquons au passage que le temps de vie de notre Soleil, au cœur de notre système solaire, au sein lui-même de notre Galaxie, n'a rien à voir avec le temps de vie de l'univers, qui se moque pas mal de notre Soleil et des planètes qui l'entourent. Notre Galaxie, la Voie lactée, notre système solaire — pour ne rien dire de notre Terre qui est infiniment moins à l'échelle du tout qu'une goutte d'eau à l'échelle de l'océan — sont des incidents imperceptibles au regard d'un univers dont les perspectives sont sans commune mesure avec les nôtres. La mort de notre Soleil — dans cinq milliards d'années — est pour demain. La fin de l'univers prendra bien plus de temps.

L'univers finira. Et il a commencé. La plupart des astrophysiciens inclinent aujourd'hui à penser que l'univers, qui pouvait encore passer pour statique vers le début du XXe siècle, pour une image de l'immobilité et de l'éternité, est sorti, il y a une quinzaine de milliards d'années, d'une explosion primitive. Un des adversaires de cette théorie, le grand astronome anglais sir Fred Hoyle, a donné, par dérision, un nom à cet événement fondateur et unique, qui ne constitue aujourd'hui qu'une hypothèse très probable : le *big bang*.

Quand le big bang se produit dans sa singularité originelle, alors que n'existe encore non seulement aucun modèle, mais aucune loi d'aucune sorte, mathématique, physique, chi-

mique, l'univers, pendant une fraction infini-
tésimale de seconde, se réduit à une pointe
d'épingle minuscule, d'une densité et d'une
température difficiles à imaginer, et à côté de
laquelle non seulement un grain de sable mais
un atome prendraient des allures d'Himalaya.
Aussitôt se met à l'œuvre, dans des conditions
extrêmes où l'énergie précède la matière qui
précédera la vie qui précédera la pensée, le travail d'expansion qui se poursuit encore de nos
jours. L'univers est immense parce qu'il ne cesse
de s'étendre, depuis quinze milliards d'années, à
partir d'une pointe d'épingle en quoi se concen-
traient et l'espace et le temps.

Si l'hypothèse du big bang est exacte, tout ce
que nous voyons sous le Soleil et au-delà du Soleil
jusqu'aux limites de l'univers — la terre et la mer,
le corail, les éponges, les cyprès, les pins para-
sols, les requins, les baleines, les guépards et les
chauves-souris, l'Acropole d'Athènes et l'Empire
State Building, les conquêtes d'Alexandre et la
retraite de Russie, la Bible, le Coran, le *Jugement
dernier* de Michel-Ange sur le mur du fond de la
chapelle Sixtine, les neutrons et les trous noirs, et
la théorie elle-même de l'expansion de l'univers
et l'hypothèse du big bang —, tout cela, et tout le
reste, encore caché dans l'avenir mais déjà pos-

sible, déjà presque tout fait, développé peu à peu, avec un sens très sûr de l'effet de surprise, par un temps qui est l'invention même et une création prolongée tout au long de l'histoire, sort, au moins en puissance, de l'explosion primitive.

Avec sa tapisserie cosmique de galaxies et d'étoiles, avec l'étrange histoire des hommes, perdus dans un univers qui les dépasse de partout mais qu'ils s'efforcent de penser, l'infiniment grand est déjà tout entier dans l'infiniment petit. Dès le big bang, tout est là. À la façon du chêne déjà présent dans le gland. À la façon du vieillard qui n'est personne d'autre que l'enfant de naguère. À la façon du cadavre qui ne fait qu'un avec le fœtus qu'il était jadis dans le ventre de sa mère. L'affaire est dans le sac. Dès le début, tout est prêt à être révélé par le temps.

pom pom pom Pom, tzinc tzinc

Comment le temps révèle-t-il ce qui est encore enfoui dans le big bang ? C'est une jolie histoire. Et c'est la nôtre. Toutes les généalogies, tous les Mémoires — « Quels livres valent la peine d'être écrits, demandait André Malraux, hormis les Mémoires ? » —, tous les ouvrages historiques, tous les romans policiers, tous les romans d'aventures qui emportent les héros dans des cataractes d'événements, tous les romans d'amour où l'amant chante la maîtresse dont il est séparé, tous les romans d'initiation et ce que les Allemands appellent *Bildungsroman*, tous les romans tout court et d'ailleurs aussi tout le reste naît de ce dévoilement accompli par le temps, de ce strip-tease métaphysique où tout ce qui était caché va apparaître peu à peu pour nous en mettre plein la vue.

Dès la première seconde après le big bang, une force mystérieuse se met en route dans le temps. Sous son grand chapeau noir, un bâton à la main, ah ! voilà la patronne : c'est la nécessité.

Elle mène la danse et le monde. Avec fermeté. Avec rudesse. Sans ménagements inutiles. À la baguette. Et elle ne prête pas à rire. C'est elle qui fait que vous êtes là, en train de me lire, à tel moment de l'histoire, dans tel endroit du monde, fils ou fille de vos parents, avec votre corps et votre esprit, votre taille, vos yeux de telle ou telle couleur, votre caractère, votre façon d'être, fétu de paille brinquebalé par les torrents du temps. Pour mener jusqu'à vous, pour mener jusqu'à moi, l'interminable cascade des effets et des causes — chaque cause n'étant que l'effet d'une cause qui la précède, chaque effet se hâtant de devenir cause à son tour — va du big bang à l'énergie, de l'énergie à la matière, de la matière aux astres qui se baladent dans l'espace, du Soleil et de la Terre à la vie qui sort de l'air et de l'eau, de la vie aux espèces sans nombre dont beaucoup disparaissent et aux primates qui survivent, des primates aux hommes et à cette sacrée pensée qui, surgie d'une poussière dérisoire de l'univers, le contemple avec admiration et tente en vain de le comprendre.

Vous la voyez, la nécessité, avec sa volonté de fer, avec son sale caractère ? Et vous l'entendez ? Depuis quinze milliards d'années, Juive errante du destin, elle marche au pas de l'oie — cause-effet, cause-effet, cause-effet... —, au son des trombones et des grosses caisses pour arriver jusqu'à ces pages, qu'elle oubliera assez vite. Vacarme. Grappes d'enfants et de jeunes gens agitant des drapeaux. Acclamations. Elle s'avance, sombre et violente, entourée de docteurs et de savants qui forment son comité de soutien et qui font taire les contradicteurs. La foule reconnaît parmi eux des personnages aussi imposants qu'Aristote, Spinoza, Hegel ou Karl Marx. Elle ne laisse la place à personne, elle emporte tout sur son passage.

Mais, soudain, que se passe-t-il ? Voilà qu'une petite musique grêle vient se mêler aux flonflons de la nécessité. Pizzicati, triangle, flûte traversière, sons stridents. On dirait les *Airs à faire fuir* ou les *Morceaux en forme de poire* d'Erik Satie en train de se superposer à l'*Héroïque* de Beethoven ou à *La Force du destin*. Ça donne quelque chose comme : *cause-effet, cause-effet, pom pom pom Pom, cause-effet, cause-effet, pom pom pom Pom, pituit pituit, cause-effet, cause-effet, pom pom pom Pom, tzinc tzinc.* Ou

168

à peu près. Dans la foule des badauds qui se pressent tout au long du cortège interminable de la nécessité, quelques perturbateurs agitent des pancartes où sont inscrites des injures à l'égard de Hegel, de la marche de l'histoire et de la nécessité. Les meneurs seraient un individu du nom de Pyrrhon dont on ne sait pas grand-chose et un certain Kierkegaard, entourés de romanciers, d'amateurs de farces et attrapes, d'aventuriers égoïstes et paradoxaux qui raffoleraient d'anecdotes, de contes de fées, de coups de théâtre, d'interrogations perpétuelles, d'imprévu et d'invraisemblable, de singularités et d'exceptions en tout genre.

Les pizzicati si grêles de la petite musique dissonante et stridente qui s'invite aux *Te Deum* et aux concerts sacrés de la nécessité sont les trilles du hasard. La nécessité toute seule n'aurait jamais pu faire que nous nous rencontrions, vous et moi, et que vous lisiez ces lignes que je suis en train d'écrire. Avec l'aide du hasard, *pituit pituit, pom pom pom Pom, tzinc,* rien ne lui est impossible. Nos dieux sont le hasard et la nécessité.

un léger doute

À eux deux, tout le monde le sait, les savants le proclament, les enfants l'apprennent sur les bancs de l'école, hasard et nécessité suffisent à faire sortir du big bang l'univers jusqu'à nous.

Suffisent-ils aussi à rendre compte du temps, de la pensée, de la cohérence extrême des détails et du tout ? Suffisent-ils à rendre compte d'eux-mêmes qui constituent à chaque instant le comble de la banalité, mais non, et d'assez loin, le comble de l'évidence ? J'en doute un peu.

stupeurs

Je ne doute pas du rôle joué par la nécessité et le hasard dans notre évolution. Je doute que le mystère de l'univers, et le nôtre, soit épuisé par leur attelage. Je crois que la masse de ce qui est inconnu aux hommes — et qui le restera, ou qui s'accroîtra, avec et malgré le progrès de la science — est de loin supérieure à la masse de ce qui leur est et leur sera jamais connu.

Tout ce que nous pouvons faire et que nous ferons sans nous lasser est d'en savoir de plus en plus et d'y comprendre de moins en moins. Tout s'explique. Tout reste obscur. Quand nous regardons en arrière, tout s'enchaîne à merveille. Sans que nous sachions pourquoi. Quand nous regardons en avant, tout est ouvert et libre. Et mystérieux. Nous sommes, le temps et nous, des machines à rendre nécessaire ce qui était possible et à rendre possible ce qui n'existait pas encore. Tout cela semble sortir d'un délire organisé qui relève à la fois de la logique la plus parfaite et de la fantasmagorie. Le plus incompréhensible, c'est que le monde soit compréhensible. Et il n'est compréhensible que dans la stupeur la plus profonde.

Stupeur devant l'origine qui nous reste fermée par un mur auquel Planck a donné son nom. Stupeur devant le temps qui est le miracle par excellence. Stupeur devant la vie dont les chances de surgir — de cette Terre même ou d'ailleurs — étaient très proches de zéro mais qui a surgi tout de même par un hasard invraisemblable. Stupeur devant nous-mêmes et devant le pouvoir que nous donne la pensée. Si tout sort du hasard et de la nécessité, comment se fait-il que tant de hasards soient allés dans un même sens qui a mené jusqu'à nous ? Tous les savants dans les disciplines les plus diverses sont d'accord sur un point — et peut-être sur un seul : un millimètre de plus, un millimètre de moins, un degré de plus ou de moins, un milligramme de plus ou de moins, l'écart le plus insignifiant, le décalage le plus mince, la moindre paille dans l'acier de la nécessité, le moindre hasard dans l'autre sens — et l'univers s'écroule.

Trouble in Paradise

Au cœur de cette dramaturgie de la rigueur et de l'absurde, l'homme, si ridicule dans l'immensité du tout, joue un rôle démesuré. Il est dérisoire jusqu'à l'inexistence — et il est la mesure de toutes choses. Ou il s'imagine qu'il l'est.

Avant lui, les choses marchent toutes seules, et elles mènent jusqu'à lui. Après lui, sa liberté empiète, petit à petit, sur le cours des événements. Pour le meilleur et pour le pire, il prend le relais de la nécessité, qu'il appelle parfois Providence. Il contrôle et organise les hasards. Il se charge lui-même d'une histoire qui fonctionnait sans lui jusqu'à ce qu'il apparaisse. Il est, après Dieu, le second créateur du monde où nous vivons. Sa responsabilité, qui était nulle d'abord, puis très faible, puis de plus en plus importante, devient soudain infinie. Est-ce un

173

progrès ? C'est le progrès même. Et un désastre sans nom : l'homme ne peut pas détruire l'univers, mais il peut détruire la planète où il a été jeté malgré lui et d'où il pense l'univers.

Un des tournants de l'histoire non seulement de l'humanité mais de l'univers est la révélation de notre capacité à devenir notre propre et pire ennemi. Le malaise de notre époque, qui, de Freud à Einstein, a fait couler tant d'encre, vient d'abord de ce pouvoir. Nous sommes désormais en mesure de nous détruire nous-mêmes et de mettre fin à une vie qui, jusqu'à preuve du contraire, n'a surgi que sur cette Terre qui passait à l'origine, au moins dans nos imaginations, pour une image du paradis. *Trouble in Paradise*. L'homme est la première créature — et peut-être la seule — à mettre le bordel dans la création.

une question sans réponse

Sommes-nous seuls à penser ? Aurions-nous des rivaux dans l'orgueil, dans le progrès, dans la soif ardente d'autre chose et du mal ? L'argument le plus simple et le plus fort en faveur d'une vie extraterrestre est l'immensité de l'univers. S'il y a des étoiles sans nombre, il peut y avoir des planètes en grand nombre. S'il y a des planètes en grand nombre — peut-être un milliard dans notre propre Galaxie —, pourquoi notre Terre jouirait-elle seule du privilège exorbitant d'avoir donné naissance à une vie d'où est sortie la pensée ?

Si la vie existe, sous une forme ou sous une autre, en dehors de notre planète, la fin de l'homme serait plus proche d'un fait divers aux dimensions du tout que d'une tragédie. Après la mort de Dieu, annoncée par tant de prophètes avec Nietzsche à leur tête, la mort de l'homme, si elle se produisait, serait intéressante parce qu'elle aurait été provoquée par l'homme lui-même et par lui seul. Un beau thème de roman ou de pièce de théâtre. Un film à grand spectacle. Avec des moments d'émotion insoutenable et une touche de métaphysique. Ce ne serait pas la fin de tout. Ce serait — pour nous surtout — un incident regrettable. Et, bien entendu, une folie. Ce ne serait pas une catastrophe à l'échelle de l'univers. Si la vie, au contraire, est limitée à cette Terre, sa mort serait le plus grand drame cosmique depuis l'éternité.

À supposer que nous ayons encore un avenir, les siècles et les millénaires qui s'étendent devant nous seront dominés par cette question obscure et très simple : y a-t-il une vie et une pensée ailleurs dans l'univers ? Peut-être l'interrogation devrait-elle être formulée en des termes légèrement différents : y a-t-il ailleurs dans l'univers quelque chose d'inconnu qui pourrait être comparé à notre vie et à notre pensée ? Les hasards improbables qui ont mené sur la Terre à la vie telle que nous la connaissons ont pu aboutir sur des planètes lointaines à des phénomènes étrangers à notre compréhension, dont nous n'aurions aucune idée et pour lesquels les mots mêmes nous manqueraient.

À défaut du grand secret qu'aucun vivant ne percera jamais, ce que j'aurais voulu savoir avant de m'en aller, c'est s'il n'y a que les hommes sur cette Terre pour penser un univers qui les dépasse de si loin.

nous autres, civilisations...

Avant même de savoir s'il y a une vie et une pensée ailleurs, une question plus urgente se pose à nous avec une insistance qui relègue toutes les autres interrogations au rang de rêveries métaphysiques et de préoccupations futiles à force d'être fondamentales. Cette question, quotidienne et banale au point de figurer dans les programmes politiques, dans les conversations d'après-dîner, dans les homélies des curés, des pasteurs, des rabbins, des imams, des bonzes, des francs-maçons, chacun de nous se la pose sans même la formuler : les hommes réussiront-ils à détruire leur planète ?

Avec Aldous Huxley peut-être, et avec André Gide, Paul Valéry est une des intelligences les plus brillantes de notre temps. À une époque où la bombe atomique n'était pas encore inventée grâce aux progrès d'une physique mathématique dont le chef de file était Albert Einstein, Valéry avait fourni en quelques mots un élément de réponse : « Nous autres, civilisations, nous savons maintenant que nous sommes mortelles. » Répétée jusqu'à la nausée en conclusion de tous les colloques ou congrès, au cours du moindre débat, entre la poire et le fromage de tous les banquets d'anciens élèves, la formule a connu un succès prodigieux et un peu lassant. Est-elle toujours exacte ?

Le premier écolier venu sait dès les bancs de la maternelle que nous disposons des moyens de faire sauter la Terre, non pas une fois, mais plusieurs fois. Nous sommes capables de détruire tous les êtres humains qui vivent sur cette planète et de réduire la vie à sa plus simple expression. Le ferons-nous ?

Dans cette époque où les médias trimbalent les idées, les analyses, les diagnostics, les prédictions par tombereaux entiers, jusqu'à doubler le monde réel par un monde virtuel d'imagination et de pensée que Teilhard de Chardin avait baptisé « noosphère », j'ai souvent rêvé d'une institution qui rappellerait à leurs auteurs les jugements qu'ils avaient portés. Échappant enfin à l'impunité dont ils usent et abusent, politiciens, journalistes, essayistes, sociologues, philosophes, historiens du présent seraient ainsi confrontés à ce qu'ils avaient jadis annoncé. Je prendrais volontiers moi-même — ah ! l'habile homme qui tente de rattraper par la bande une postérité qui lui échappe... — deux paris qui peuvent passer pour risqués.

le principe de Gabor

La science va toujours au bout des progrès
dont elle s'est ouvert le chemin. Vous souvenez-
vous encore des lois de Parkinson et du principe
de Peter qui ont amusé le public il y a quelques
années ? Les premières établissaient entre
autres que, le travail restant le même, le per-
sonnel chargé de le mener à bien augmente
chaque année d'un pourcentage calculable et
que l'attention et le temps accordés aux problèmes dont nous discutons sont inversement
proportionnels à leur réelle importance ; le
second éclairait beaucoup d'aspects souvent
obscurs de notre vie politique, économique et
sociale en soutenant que chacun s'efforce de se
hisser dans sa carrière au plus haut niveau
d'incompétence possible. Plus sérieux et parfois plus tragique, le principe de Gabor nous
apprend que tout ce qu'elle est capable de faire,

la science le fera. En dépit de toutes les interdictions d'ordre moral, politique, religieux, philosophique, elle poursuit sa route et applique ses découvertes.

Les arguments en faveur de cette thèse ne manquent pas. Condamnée par un des conciles du Latran comme une arme diabolique, l'arbalète est utilisée sans trop de scrupules par les armées en campagne jusqu'à l'invention des armes à feu qui la relèguent au rang d'épouvantail pour moineaux. Longtemps considérée comme barbare et comme une insulte aux principes les plus sacrés, la dissection des cadavres, instrument nécessaire au progrès de la science, se fait peu à peu accepter malgré scandale et indignation. Pratiquée en Italie du Nord, et notamment à Bologne, dès la fin du XIIIe, interdite aussitôt par l'Église qui excommunie les découpeurs de corps humains, elle est courante deux siècles plus tard. Mis au ban de l'humanité au titre d'atteinte intolérable aux lois de la guerre, les gaz de combat font partie de l'arsenal militaire jusqu'à la découverte par les savants au service du pouvoir d'armes de destruction de masse plus meurtrières encore. Il est permis de prédire sans trop de crainte de se tromper qu'au mépris de tous les obstacles dis-

posés sur leur parcours les manipulations géné-
tiques et le clonage humain ont de beaux jours
devant eux.

Par erreur, par accident, par folie, par passion, par volonté politique ou religieuse aux
ordres du bien ou du mal — et qui sera en
mesure de distinguer le mal du bien ? —, il serait
très surprenant qu'une explosion nucléaire ne
finisse pas par se produire. À moins, bien sûr, que
nos docteurs Folamour ne trouvent encore mieux
dans leurs laboratoires. Vous n'en doutez pas,
j'imagine : après tant d'appels à la paix universelle, une foule de méthodes originales et ingé-
nieuses seront mises au point dans les années
qui viennent pour détruire le plus possible
d'établissements et d'êtres humains. Par des
États, des sociétés secrètes qui surgissent de
nulle part, des prophètes illuminés, des bandes
de gangsters à l'affût de profit, des organisations
de tout poil, et des individus souvent de génie et
toujours prêts au pire. Des microbes, des bacté-
ries, des virus, des gaz, des rayons ou je ne sais
quoi encore risquent fort de tomber, à défaut de
bombe nucléaire, sur le coin de la gueule de
beaucoup d'entre nous. Si neuves, si modernes,
parfois artisanales et à taille humaine, ces inté-
ressantes perspectives ne compromettent en

rien les chances plus classiques et quasi routi-
nières de notre bonne vieille bombe qui finirait
par prendre, parmi tant de masques repous-
sants, un visage que personne n'ira traiter de
bénin — mais enfin au moins familier.

Aux ordres du bien, comme chacun le sait, la
bombe a déjà fait ses preuves, avec des résultats
plus qu'honorables, à Hiroshima et à Nagasaki.
Les performances, aujourd'hui, seraient très
supérieures. Depuis un demi-siècle, à plusieurs
occasions, d'un côté ou de l'autre, l'éventualité
d'un recours à la bombe atomique ou aux armes
chimiques a flotté dans les têtes. L'utilisation de
la puissance nucléaire entraîne et entraînera de
toutes parts réprobation et condamnation. La
dissémination nucléaire ne s'en poursuivra pas
moins, notamment sous des formes rustiques ou
miniaturisées. Nous sommes payés pour savoir
de quoi est capable tout l'éventail des passions
politiques et religieuses. Pour une raison ou
pour une autre, les gens ne manquent jamais qui
n'ont plus rien à perdre. Quand vous n'avez plus
rien à perdre, pourquoi, en dernière instance, ne
pas risquer le tout pour le tout ? Je parie qu'un
jour ou l'autre, dans vingt ans, dans cent ans,
dans cent cinquante ou deux cents ans, les
hommes cueilleront le fruit amer de leur génie

et de cet orgueil que les Grecs appelaient ῞υβρίς et dont Prométhée, ivre de création, modèle de tous nos génies, artisan de malheurs, était l'incarnation. Et nous verrons des choses, pour parler comme Retz ou Saint-Simon, auprès desquelles les passées seront verdures et pastourelles.

La planète, du coup, sera-t-elle rayée de la carte de l'univers ? Si pleine de rires et de larmes, de génie, de passions, d'anecdotes enchanteresses, l'histoire des hommes s'arrêtera-t-elle ?

voilà déjà qu'ils recommencent

Le *New Yorker* a souvent publié des dessins inoubliables. Tantôt, perchées sur une falaise, deux licornes contemplent avec désespoir l'arche de Noé s'éloigner sur des flots en train de tout envahir, tantôt un skieur étonné se retourne sur les traces qu'il a laissées dans la neige et qui passent de part et d'autre d'un grand arbre isolé. Paru peut-être dans ce même journal, je me souviens d'un dessin qui m'avait frappé en son temps. Dans un décor de catastrophe et de désolation — la bombe est passée par là —, deux hommes dépenaillés et hirsutes s'efforcent d'allumer un feu en frottant l'une contre l'autre, à la façon des primitifs, des baguettes de bois sec. Un troisième les regarde et laisse tomber cinq mots : « Voilà déjà qu'ils recommencent. » Tant qu'ils ne seront pas détruits jusqu'au dernier, les hommes recommenceront.

Et si la planète sautait tout entière ? Je parie qu'elle ne sautera pas. On verra bien dans deux cents ans — ou plus, si affinités. Elle peut sauter. Elle ne sautera pas. Pourquoi ? Parce que les temps ne sont pas venus. Parce que les hommes ne sont pas au bout de leur formidable aventure. Ils ont encore en réserve beaucoup de gaieté et d'horreur, du génie, de l'imprévu. Et de l'inimaginable à changer en banal.

un peu d'hystérie

Ici, bien entendu, nous passons à autre chose. À quoi ? À un peu d'hystérie. À un peu de délire mystique. À une certaine idée, qui vaut ce qu'elle vaut, de l'histoire et de nous-mêmes.

Derrière la conviction que nous ne sommes pas encore parvenus au bout d'un chemin qui finira bien, un beau jour, un dernier jour, par se perdre et par se dissoudre flotte un brouillard métaphysique, et peut-être religieux. L'histoire — c'est-à-dire notre histoire — ne peut pas s'arrêter dans les temps que nous vivons. Et pourquoi ne le peut-elle pas ? Parce qu'à s'achever aujourd'hui elle n'aurait aucun sens.

espérer ce qu'on croit

Mais doit-elle en avoir un ? À l'inverse de beaucoup de grands esprits qui pensent exactement le contraire, je suis de ceux qui croient — ou peut-être qui espèrent — que l'histoire, que la vie, que l'univers ont un sens. Combattue par beaucoup qui voient dans la marche des choses une succession accidentelle et absurde de hasards, c'est une opinion partagée par beaucoup d'autres qui donnent un sens à leur existence.

L'ennui est que, pour ma part, je ne sais pas quel est ce sens. Je crois qu'il y a un sens, mais je ne le connais pas. Ce qui fait que je ne suis du côté ni de ceux qui savent que le monde ne va nulle part ni de ceux qui savent où il va. Ni du côté de l'absurde ni du côté de la certitude. Je crois qu'il va quelque part, mais je ne sais pas où il va. Je suis un drôle de croyant : au

189

lieu d'un croyant qui sait, je suis un croyant qui croit. Et qui, sachant qu'il ne sait pas, ne fait pas beaucoup plus qu'espérer ce qu'il croit.

l'ordre des choses

Ce que je crois ? Ne tournons pas autour du pot. Je ne crois pas que l'univers soit le fruit d'un hasard et d'une nécessité qui se suffiraient à eux-mêmes. Je crois qu'il y a, lâchons le mot, un plan de l'univers et un ordre des choses. Ils se développent dans l'histoire et leur sens nous échappe.

une forteresse de l'âme

Un plan de l'univers et un ordre des choses procurent à qui y croit soulagement et bonheur. Nous le savons : le cancer, la misère, les horreurs de la guerre, les amitiés trahies, les passions malheureuses, la mort de ceux que nous aimons sont également le lot de tous. La cruauté de l'existence et toutes les formes d'adversité sont moins dures à supporter si nous ne sommes pas tout seuls à en porter le poids et si nous pouvons partager nos souffrances avec une force puissante et obscure qui ressemble à la Providence des croyants ou à l'*amor fati* des Anciens. Au point que le sort de ceux qui ne croient à rien me paraît digne de pitié. Et aussi d'admiration. J'ai été élevé dans un milieu où il était de bon ton de réserver son estime à ceux dont la foi déplaçait les montagnes. J'ai toujours admiré davantage ceux qui étaient des justes dans un monde qu'ils jugeaient absurde et où ils n'avaient pour se soutenir sur les mers du néant que l'image qu'ils se faisaient d'eux-mêmes. Un ordre des choses est un secours dans le malheur de l'histoire.

S'il y a un plan de l'univers, je me repose en lui et sur lui. Fataliste, inactif, insouciant comme je le suis, c'est un refuge au-delà des mots. Une forteresse de l'âme. Bach la chante dans ses cantates ; Corneille et Racine, dans leurs cantiques spirituels et dans les œuvres sacrées où ils commentent les Psaumes ; les tragiques grecs, dans leur théâtre ; et Homère, dans l'*Iliade* et dans l'*Odyssée*.

Une question — encore une ! — nous tombe dessus aussitôt : pourquoi agir sur un monde dont le destin est déjà tracé et où tout est réglé d'avance ? S'il y a un ordre des choses, laissons-le faire son travail. Tout à l'heure, le sort des hommes sur cette planète renvoyait à l'existence possible d'une vie ailleurs que sur notre Terre. Un plan de l'univers auquel nous abandonner renvoie à une énigme aussi banale et aussi troublante que le temps, la vie, le néant ou le mal : notre liberté.

une idée à la Borges

S'il y a un plan de l'univers, peut-on dire que nous sommes libres ? Et si nous sommes libres, peut-on encore soutenir qu'il y a un plan de l'univers ? La réponse à l'énigme est en forme de paradoxe : nous sommes libres, et il y a pourtant un plan de l'univers. Ou peut-être, un peu mieux : il y a un plan de l'univers, et notre liberté en constitue un pilier.

Vous êtes libres. Je suis libre. Nous sommes tous libres et imprévisibles. À tel point que je suis la plupart du temps incapable de prévoir, même à court terme, non seulement les réactions de ceux que je crois le mieux connaître, mais encore les miennes propres.

Je suis très capable, en revanche, de prédire, même à long terme et, à nouveau, sans la moindre crainte de me tromper, des événements autrement considérables que des décisions individuelles. Voulez-vous des exemples ? Des paris, encore des paris ! Eh bien, tout à trac, la domination américaine sur le monde est condamnée au déclin ; la Chine va croître en puissance et en influence avant de flancher à son tour ; Paris et New York finiront, un jour ou l'autre, assez lointain j'imagine et j'espère, par fournir de belles ruines ; la distinction entre les races humaines — la blanche, la noire, la jaune, la rouge — qui faisait de si jolies taches sur les atlas de nos enfances et qui paraissait si claire et si distincte à nos arrière-grands-parents va s'effacer assez vite au profit d'une seule couleur qui ne connaîtra plus que des nuances ; les nations, qui étaient comme une image de l'éternité au-delà des individus périssables et que nous avons tant aimées avec leurs drapeaux claquant au vent, leurs services secrets ou leur Légion étrangère, leurs hymnes familiers qui nous glissaient une boule au fond de la gorge dans les grandes occasions, disparaîtront pour se fondre — plutôt après-demain que demain et avec les secousses que vous pouvez imaginer — dans une forme ou une autre de gouvernement mondial. Ça va comme ça ? Vous qui êtes si libre, moi qui suis si libre, nous tous qui sommes si libres, nous pourrons faire tout ce que nous voudrons, un peu plus tôt, un peu plus tard ce que j'annonce là se produira. Pourquoi ? Parce que c'est le mouvement de l'histoire, parce que c'est l'ordre des choses.

La liberté entraîne pour l'univers tel qu'il était avant l'homme un formidable changement. Elle rivalise avec la nature, avec ses lois, avec la nécessité. Elle prend le relais de Dieu qui faisait tout marcher lui-même tant que l'homme n'était pas là. Elle se substitue à lui et l'envoie se faire voir ailleurs. Elle ne parvient pourtant pas à modifier en profondeur le plan de l'univers. Elle y contribue, au contraire, avec une puissance illusoire et nouvelle et avec une efficacité trompeuse. Effrayante et funeste, une idée à la Borges finit par se faire jour : ivre d'un pouvoir apparemment sans limites, ennemie jurée d'un Dieu qu'elle défie et défait, la liberté de l'homme est un rouage essentiel d'un plan de l'univers et de l'ordre des choses. Taupe de l'univers, agent double du destin, elle découvre toujours trop tard et avec une horreur inutile qu'elle sert les desseins de la puissance qu'elle combat. L'adversaire de la Providence est son meilleur agent.

incertitude, ô mes délices...

Propre de l'homme, la liberté introduit dans l'univers moins de nouveauté qu'on ne pourrait croire. L'âge d'or de la physique mathématique se situe dans la première moitié du siècle passé avec une pléiade de géants dont le génie fait peur : Einstein, Bohr, Schrödinger, Planck, Heisenberg, Louis de Broglie, Dirac et beaucoup d'autres dont la gloire vaut bien celle des poètes, des philosophes, des acteurs, des chefs de guerre. Nous avons déjà vu passer les noms de l'un ou l'autre d'entre eux. Voici Heisenberg. Au fin fond de la matière, il découvre un truc foudroyant auquel il attache son nom : l'incertitude.

Deux grands champs du savoir éclairent, au début du XXᵉ siècle, la structure de l'univers : la mécanique quantique et la théorie de la relativité. La relativité s'intéresse à l'infiniment grand. La mécanique quantique, à l'infiniment petit. La relativité explique la marche des astres et des objets célestes dans un espace et un temps inséparables l'un de l'autre. La mécanique quantique étudie la structure intime et infime d'une matière où ondes et corpuscules se livrent à des ballets qui répondent à ceux du firmament. Chacune dans son domaine, les deux théories rendent compte avec succès des phénomènes qu'elles observent — quitte à les modifier du seul fait qu'elles les observent. Il y a un point de rencontre de l'infiniment petit et de l'infiniment grand qui exigerait une collaboration de la théorie de la relativité et de la mécanique quantique : le big bang. Mais les deux champs du savoir restent jusqu'à ce jour inconciliables entre eux. L'ambition ultime d'Einstein, à la fin de sa vie, était de les unifier. Il n'y réussit pas.

Vers le début du deuxième quart du siècle passé, en étudiant les particules qui constituent le monde de l'infiniment petit, Werner Heisenberg constate une particularité qui va bouleverser la physique : l'examen d'un objet quantique ne permet jamais de connaître à la fois sa position et sa vitesse. Quand sa position est déterminée, sa vitesse ne peut pas l'être. Quand sa vitesse est calculée, sa position reste ignorée. Il est impossible d'obtenir l'une et l'autre en même temps. Au scandale de beaucoup, les relations d'incertitude de Werner

Heisenberg introduisent dans le déterminisme de la nature et dans la chaîne sans faille des effets et des causes une dose d'indéterminisme. Apollinaire chantait déjà : « Incertitude, ô mes délices… »

Le plus intéressant est que l'incertitude quantique n'a pas la moindre conséquence sur le déterminisme global de la matière. La relativité et ses paradoxes se limitent, si j'ose dire, à l'infiniment grand ; l'incertitude se cantonne au niveau de l'infiniment petit. Il n'est pas exclu que les leçons de la physique puissent s'appliquer à l'histoire des hommes. Ce que les relations d'incertitude d'Heisenberg sont à la physique, notre liberté à chacun de nous, êtres infimes et aléatoires, l'est à la marche de l'histoire. Incertaines et libres, nos décisions et nos existences échappent au déterminisme, ou semblent y échapper, et le plan de l'univers n'en est pas affecté. Quoi de surprenant ? Des milliers de conducteurs sillonnent chaque jour les rues de Paris sans qu'il soit possible de déterminer le trajet de chacun d'eux qui change en fonction des besoins, des humeurs, des hasards de la circulation, de l'inspiration du moment. Le nombre exact des voitures qui franchiront le Pont-Neuf ou le pont de la Concorde entre six heures et huit heures du soir peut pourtant être calculé d'avance et prédit sans trop de risque d'erreur.

je bénis l'univers

Installé pour quelques saisons entre l'ordre des choses, la plupart du temps, à nos yeux au moins, arbitraire et injuste, et ma liberté qui peut tout, c'est-à-dire pas grand-chose, je bénis l'univers. Et je me réjouis d'être en vie.

enchantements du possible

Tout m'est possible. Tout m'est permis. Le monde est à moi. Je suis tout-puissant puisque je suis libre. Je changerai l'ordre établi. Je découvrirai des cieux. Ce que d'autres ont fait, je peux le faire aussi. Comme eux. Et bien mieux qu'eux qui n'ont cessé d'échouer après avoir cru réussir. Invention de génie toujours recommencée, la liberté est la jeunesse du monde.

Je peux entraîner des foules derrière moi. Je peux fonder des empires. Et je peux les détruire. Je peux faire la révolution. Je peux inventer autre chose. Je peux ouvrir des temps nouveaux. Je peux créer des chefs-d'œuvre qui survivront à ma mort. Tout n'existe que par moi. Tout aboutit à moi et tout repart de moi. C'est moi qui fais l'histoire puisque je suis un homme.

Je suis un homme. Quoi d'autre ? Ici et maintenant — mais seulement ici et maintenant :

j'aurais pu naître ailleurs, ou plus tôt, ou plus tard, et être très différent de ce que je suis aujourd'hui —, ma langue est le français, mon éducation est chrétienne, la démocratie est mon choix. Ici et maintenant, je crois à l'égalité et que tous les hommes se valent. Les plus pauvres, les plus faibles, les plus démunis, je les reconnais pour mes égaux. Je me reconnais aussi comme l'égal des plus grands. D'autres ont pensé le monde. Je le pense, moi aussi. Oui, bien sûr, avec moins de force et de talent qu'Aristote, que Spinoza, que Kant, que Heidegger. À chacun ses moyens. Beaucoup courent plus vite que moi, beaucoup sont plus habiles, beaucoup parlent plus de langues, beaucoup ont moins de mal que moi à se servir des chiffres et des mots qui commandent l'univers. Beaucoup sont moins bornés que moi. Mais nous sommes tous des hommes faits de la même farine. Nous pouvons nous parler, nous comprendre, nous aimer, nous reproduire entre nous. Nous pouvons boire et rire ensemble. Nous pouvons même nous haïr et nous mépriser, tant nous sommes proches les uns des autres. Il ne nous viendrait pas à l'idée de haïr une panthère, de mépriser un oursin. La haine est très humaine. Le mépris, aussi. De part en part, nous sommes des hommes. Avec toutes leurs passions. Avec toutes leurs ressources. Nous sommes libres de notre destin. Fais ce que veux. Je suis capable de tout.

Je suis un homme. Je suis libre. S'ils ont jamais existé, j'aurais pu être Abraham, ou Moïse, ou Minos, ou Romulus, ou un descendant d'Izanagi et Izanami et d'Amaterasu. Ce qu'on me raconte de leurs exploits, je n'ai pas de mal à le comprendre. Je suis semblable à eux. Et ce qu'ils ont fait de grand, j'aurais pu le faire aussi. Ailleurs et en d'autres temps, j'aurais très bien pu être un assassin, un bourreau, un tortionnaire, un escroc, un bandit de grands chemins, un cambrioleur à la petite semaine, un traître à la patrie, un renégat, un félon. Je me vois sans la moindre peine dans l'un ou l'autre de ces rôles. Je m'en sens les capacités et parfois l'appétit. J'ai très souvent menti. Voler, à l'occasion, ne m'aurait pas demandé un effort surhumain. Plutôt que des morales et des psychologies, il y a des situations. J'imagine des situations où je me serais résigné, peut-être avec horreur mais il faut ce qu'il faut, à exercer des pressions qui pourraient porter un autre nom et à éliminer les adversaires d'un genre humain que j'aurais incarné. Il y a des périodes de l'histoire qui vous mènent comme par la main dans un sens ou dans l'autre. Qu'aurais-je fait au cours de l'une ou de l'autre de nos crises et de nos révolutions, à Carthage au temps de Salammbô, en Chine sous Ts'in Che Houang-ti, au sein d'une tribu sauvage de la Nouvelle-Guinée, dans une grotte de la guerre du feu ? Je crois que j'aurais pu, sans trop forcer ma nature, être un tueur ou un héros — la frontière est souvent mince — puisque je suis un homme et puisque je suis libre.

L'histoire est ce qui empêche notre liberté d'être n'importe quoi. Je ne suis pas de ceux qui pleurnichent sur leur époque. La mienne a été rude et nous ne nous sommes pas détestés. J'aurais beaucoup aimé aussi vivre au temps des Lumières, à l'ombre de Saint-Simon, de Montesquieu, de Diderot, au crépuscule du classicisme et de sa poigne de fer. Ou à l'époque de la Renaissance, en compagnie des peintres, des poètes, des navigateurs. Au début du si beau XIIIe, à la cour de Palerme, dans la suite du grand homme aux desseins planétaires et de sa garde musulmane, avant le sinistre XIVe avec sa peste noire et ses tueries en masse. Ou alors vers le début du Ve siècle avant notre ère.

L'histoire se noue en ce temps-là. En quelques années à peine, un voyageur aventureux, doté d'une bonne santé et en vérité un peu chanceux — vous me reconnaissez dans ce portrait —, aurait pu rencontrer, à des âges différents, Siddhartha Gautama, dit Çakyamuni ou le Bouddha, déjà proche de sa mort dans les collines du nord de l'Inde, puis, de l'autre côté de l'Himalaya, en Chine, maître Kong, que nous appelons Confucius, et Lao-tseu, l'auteur du *Tao-tö king*, le fondateur du taoïsme, Héraclite et Parménide, cueillis au passage sur les bords ivres de vie de la Méditerranée, enfin, à Athènes qui sort de la guerre contre les Perses de Xerxès pour entrer dans le siècle de Périclès, Socrate encore tout jeune.

Quelle époque ! Peut-être l'une ou l'autre de ces légendes vivantes m'aurait-elle pris en amitié ? J'aurais nettoyé ses vêtements et ses sandales, je lui aurais apporté de quoi boire et, assis à ses pieds, je l'aurais écoutée. Mon nom, on peut toujours rêver, apparaîtrait en pali dans les prières des bhiksu vêtus d'une robe orange qui mendient sur les chemins, en chinois dans le *Lie-tseu* ou dans le *Tchouang-tseu* dont je ne connais que les titres, en grec dans *Le Banquet*, dans *Phédon* ou dans *Phèdre*. Et des milliers d'étudiants se souviendraient de moi en train de tremper mes doigts de pied aux côtés de Socrate dans les eaux fraîches de l'Ilissos ou de courir en hâte — malgré mon âge... — et les yeux pleins de larmes à la recherche du coq qu'à l'instant de mourir le philosophe emprisonné voulait sacrifier à Esculape.

Si j'ai écrit des romans, c'est que je rêvais d'autre chose. Je n'étais pas mécontent de mon sort, mais il ne me suffisait pas. Je profitais de ma liberté pour m'échapper ailleurs. J'aurais voulu être Parménion — celui qui murmurait au conquérant sur le point d'attaquer plus fort que lui : « Je battrais en retraite, si j'étais Alexandre » et à qui Alexandre répondait : « Moi aussi, par Zeus, si j'étais Parménion » — et accompagner le demi-dieu des montagnes de Macédoine recouvertes par la neige jusqu'aux rives de l'Indus, assister sous la tente de feutre plantée dans le désert à la rencontre du Grand Khan et de Jean du Plan Carpin ou de Guillaume de Rubroek, prédécesseurs franciscains de Marco Polo en Asie, naviguer vers des terres inconnues sur les caravelles de Magellan ou de Vasco de Gama, assiéger Rome en 1527 avec les troupes de Charles Quint et du connétable de Bourbon ou défendre au contraire la

Ville éternelle contre les barbares venus du Nord — je me moque comme d'une guigne des passions de l'époque — sous les bannières du pape Clément VII, qui s'appelait Jules de Médicis, et de Benvenuto Cellini dont l'arbalète faisait des ravages du haut du château Saint-Ange, fuir Moscou en flammes avec Henri Beyle qui devait devenir Stendhal ou, du côté opposé, avec Fedor Vassilievitch Rostopchine, gouverneur de la ville, dont la fille allait se rendre en France, se changer en comtesse de Ségur et nous donner *Les Petites Filles modèles*, *Les Mémoires d'un âne*, *Les Malheurs de Sophie* et *Le Général Dourakine*. Quel bonheur d'être un homme — ou une femme — au cœur des catastrophes et d'écrire des romans !

Quels romans ? Ah !... oui..., quels romans ?... La description de la société française dans le Bordelais ou dans les Charentes entre les deux guerres mondiales ? L'itinéraire politique et moral d'un petit bourgeois parisien sous la Troisième République ? Les aventures d'une jeune fille à la recherche de son âme dans le midi de la France à l'époque de la guerre d'Algérie ou sous Giscard d'Estaing ? La fracture sociale dans les banlieues à risques au temps de Mitterrand ? Ah ! bravo ! très bien. Ou alors le refus de toute intrigue, le mépris pour les personnages dans le genre des romans anglais, la recherche de voies nouvelles pour une fiction à bout de souffle ? Encore mieux. Acclamations des copains sur tous les bancs de l'établissement culturel. Voilà de quoi, je crois, enthousiasmer les jeunes gens.

Bon. Assez plaisanté. L'éternel ressassement, sous des formes diverses et parfois opposées, de formules toutes faites et toujours semblables à elles-mêmes a quelque chose de lassant et, pour tout dire, de franchement emmerdant. À quoi pensons-nous donc ? Sous les maux et sous les remèdes, nous avons tous étouffé, nous avons tous besoin d'air. J'ai fini par préférer un vent un peu plus vif. J'ai rêvé d'autres paysages que nos villes de province ou les bords de la Seine, d'autres temps que les miens avec ses carrousels de sexe et ses problèmes de société dont je m'occupais comme tout le monde au café du Commerce mais qui me tombaient des mains dans les romans, d'autres formules et d'autres modèles que le prêt-à-porter et le prêt-à-penser présentés à coups de cymbales et de trompes sur les estrades de l'époque. Une des rares choses qu'on ne puisse pas me reprocher, c'est d'avoir suivi le mouvement. Je n'ai pas nagé dans le courant.

À défaut d'Eschyle, de Virgile, de Dante, de Shakespeare auxquels je rendais visite mais qui étaient trop grands pour moi, je me suis beaucoup promené aux côtés de personnages parfois inattendus qui me sont devenus proches : Tristan L'Hermite et Théophile de Viau, mon amie Nane, Maxime Du Camp et Louis Bouilhet, Maurice de Saxe, le fils d'Aurore de Königsmarck, l'arrière-grand-père de George Sand, le vainqueur de Fontenoy, ou le maréchal de Richelieu, l'ami de Voltaire, l'homme de Port-Mahon — d'où la mayonnaise —, qui aimait tant les femmes et que les femmes aimaient tant, Hortense Allart ou Natalie de Noailles, les maîtresses de Chateaubriand et de quelques autres, Bianca Cappello, fuyant Venise à quinze ans, dans la nuit encore close, dans le petit matin blême, avec Piero Bonaventuri qui était son amant, la vigie, je ne sais plus, de la *Niña*, de la *Pinta*, de la *Santa María* en train de crier : « Terre ! » un jour d'octobre comme les autres qui marque déjà, de loin, dès la fin du XVe, le déclin de la Reine des mers — mais la Sérénissime en a encore pour trois cents ans de carnaval et de masques autour du *Bucentaure* — et de notre mer intérieure, l'un ou l'autre de ces guerriers hérules d'Odoacre poignardés en masse, sur l'ordre de Théodoric, par leurs voisins ostrogoths au banquet de Ravenne. J'essayais de m'évader, de m'enfuir par le haut, d'oublier — ah ! les choses sont compliquées : de me souvenir aussi... — que j'étais né à Paris, sur la rive gauche, d'un père diplomate et d'une mère sans profession, à l'époque de Staline et de Hitler, d'Einstein, de Picasso, de Charlie Chaplin et que, comme celle des autres, et peut-être plus que celle des autres, ma liberté était bridée par l'histoire.

Oui, bien sûr, par l'histoire. Par le temps dont j'étais la proie. Par l'espace. Par mon hérédité. Par le milieu qui était le mien. Par ma sottise insondable. Et par beaucoup d'autres choses.

complainte de l'impossible

Revenons sur terre. Il paraît que nous sommes libres. Des philosophes nous l'affirment. D'autres le contestent. Et non des moindres. Sartre ou Bergson ne pensent pas comme Spinoza. Débrouillez-vous. Chez les philosophes comme ailleurs, il y a à boire et à manger. Je les soupçonne souvent, sur toutes les choses importantes de la vie, de ne pas en savoir plus que nous. Et, un siècle ou deux après Hegel et Nietzsche, double bouquet final dans le ciel des idées, j'ai peur qu'il n'en soit désormais pour les grands philosophes comme pour les grands peintres et les grands écrivains.

Moi-même, la liberté — la liberté en général et la mienne en particulier — me fait tourner la tête. Je ne sais plus très bien où j'en suis. Vous non plus, peut-être ? Un peu de calme, voulez-vous ? Voici une liste restreinte et loin d'être exhaustive des obstacles en tout genre qui bornent ma liberté jusqu'à la réduire à presque rien.

Je ne peux pas :

— voler dans les airs, sauf en rêve, par mes propres moyens.

— me déplacer dans ce temps qui serait réversible selon les physiciens, mais qui, je vous assure, ne l'est jamais pour moi.

— être dans deux endroits à la fois.

— être quelqu'un d'autre que moi. Et je le déplore souvent.

— savoir ce que pensent les autres quand ils se taisent.

— savoir ce que pensent les autres quand ils parlent.

— savoir ce que les autres pensent de moi, que je parle ou que je me taise.

— connaître les conséquences de ce que font les autres.

— connaître les conséquences de ce que je fais moi-même.

— savoir si les autres et moi-même aurions pu faire autre chose que ce que nous venons de faire. Et si l'histoire et le monde pourraient être différents de ce qu'ils sont.

— deviner l'avenir si peu que ce soit. L'avenir n'est pas du présent prolongé dans le futur : c'est une création toujours nouvelle et toujours imprévisible.

— savoir ce qu'il y avait avant le big bang — et d'ailleurs en général dans le passé autrement que par des rumeurs plus ou moins vérifiées. « Le passé, disait Valéry, est chose toute mentale. Il n'est qu'images et croyance. »

— échapper à la mort.

— éviter d'être né.

— connaître le sort réservé après la mort à chacun d'entre nous. La question ne manque pas d'intérêt puisque nous passons au mieux quelques années dans le temps et une éternité hors du temps : la vie est une partie minuscule de la mort. Les uns disent qu'il n'y a rien ; les autres, qu'il y a quelque chose. Toute dispute est vaine : le secret est bien gardé.

— savoir ce que ce sont cette vérité, cette beauté, ce bien et ce mal dont nous avons tous plein la bouche et qui commandent l'histoire universelle et le moindre de nos choix : de plus malins que moi s'y sont cassé le nez.

— prétendre retenir si peu que ce soit l'attention d'un lecteur ou d'une lectrice qui aurait un chagrin d'amour, des problèmes de santé, des soucis d'argent ou n'importe quelle variété de haricots sur le feu : des courses, la cuisine, des comptes, les enfants à coucher ou son travail de chaque jour.

— faire beaucoup mieux que je ne fais, alors que d'autres écrivent *Gargantua*, ou *L'Île au trésor*, ou *Le Livre de la jungle*, ou *Sodome et Gomorrhe*. Ou, plus brièvement :

... *Dans le jour où les saints n'ont que Toi pour soleil.*

Ou :

Je cherche le silence et la nuit pour pleurer.

Ou :

Un je ne sais quel charme encor vers vous m'emporte.

Ou :

Dieux ! que ne suis-je assise à l'ombre des forêts !...

Ou :

L'amour, c'est l'espace et le temps rendus sensibles au cœur.

Ou :

Je suis plein du silence assourdissant d'aimer.

C'est surtout ça qui m'embête : faire moins bien que les autres — je veux dire : ceux que j'admire et qui ne sont pas légion.

la messe est dite

Souffrir de Gide, de Proust, d'Aragon ? Plus pour longtemps, grâce à Dieu. J'ai presque fini de m'inquiéter. Les trois quarts de ma vie sont déjà derrière moi. Ou les quatre cinquièmes. Ou peut-être davantage. L'affaire est dans le sac.

Ce qui me plaisait dans les aventures du Juif errant, c'était naturellement sa course à travers les siècles qui servait si bien mes desseins. Au point que, cherchant un fil pour serpenter le long des âges et pensant soudain à Isaac Laquedem, je sus aussitôt que mon livre était fait et qu'il n'y avait plus qu'à l'écrire. Autre chose encore me retenait auprès d'Ahashverus : les souffrances que lui causait son immortalité. Au bonheur d'être là répond le bonheur de partir.

Les hommes, les pauvres hommes, ont beaucoup de peine à quitter le théâtre dont, intermittents du spectacle, ils sont les acteurs pour un nombre limité de représentations. Autant que le travail, l'amour, la curiosité, l'ambition et quelques autres figures imposées, la séparation est un des thèmes de notre humaine condition. Il n'est pas exclu que, moi-même, je sois plus attaché que de raison à ce monde passager auquel nous tenons par tant de liens. Avec don Juan et le docteur Faust, la fontaine d'immortalité est un des grands mythes de notre culture. Renversant le problème, Borges imaginait le Juif errant à la recherche impossible de la fontaine de mortalité.

La mort, comme le travail, est une malédiction. Il y a quelque chose de pire que de travailler : c'est de ne pas travailler. Il y a quelque chose de pire que de mourir : c'est de ne pas mourir. J'ai tant aimé la vie que j'accepte la mort comme son accomplissement. Le charme de la vie, sa grâce, son bonheur viennent de sa précarité. Il lui suffirait de durer un peu trop pour devenir lassante et peut-être atroce. Les dieux, pensaient les Anciens, en guise sans doute de consolation, aiment ceux qui meurent jeunes. Si un génie, bienveillant ou malin, me proposait de prolonger ou de recommencer mon parcours dans le système implacable de l'espace et du temps, je déclinerais son offre. Nous vivons déjà bien plus longtemps que nos grands-parents. Une fois suffit. La messe est dite et la farce est jouée. Dieu sait si le voyage m'a plu. Je ne le referais pas volontiers. Merci beaucoup. Merci pour le séjour et merci pour le retour.

paulo majora canamus

Si je pouvais la refaire, si je devais la refaire,
que souhaiterais-je changer à ma vie ? Pas
grand-chose, j'imagine. Le remords, disait Spinoza, est une seconde faute. Je commettrais les
mêmes erreurs et les mêmes folies. J'essaierais
pourtant de respirer un peu mieux. J'ai été très
heureux. Peut-être un peu trop bas. Je me con-
tentais de peu. Je n'étais pas sûr de moi. J'ai
péché, au choix, par une exquise humilité ou par
manque de courage. Et peut-être par les deux.

Je m'en repens. J'aurais dû faire mieux.
J'aurais dû regarder plus haut. J'aurais dû
m'amuser davantage — et plus encore que je ne
l'ai fait. J'aurais dû travailler plus. Il y a
quelques années à peine, j'ai écrit *Une autre
histoire de la littérature française*. Je l'ai dit et
répété : elle ne naissait pas de mon savoir, elle
naissait de mon ignorance. Je ne professais pas

une doctrine, je partageais mes découvertes. Beaucoup ont cru à une coquetterie, à une fausse modestie. Je faisais seulement mon possible. J'essayais de rattraper le temps perdu. Je sais très peu de chose et je m'en veux de ma paresse. J'ai profité trop peu de la beauté du monde. J'ai suivi parmi les fleurs des chemins tout tracés qui ne s'élevaient pas beaucoup. Il faut tâcher de s'élargir et de monter un peu. Monter vers quoi ? Je ne sais pas. S'élargir et monter. Chanter un peu plus haut. *Paulo majora canamus.*

Nous détourner peut-être aussi de notre veau d'or à nous dont la statue s'élève sur tous nos ponts aux ânes : le bonheur. Partout et toujours, mais aujourd'hui surtout, tout le monde veut être heureux. J'ai couru moi-même derrière une idée vague et un peu étriquée du bonheur. Pour des motifs très différents, Corneille, Rimbaud, Péguy, Montherlant, tant d'autres se méfient de ce bonheur qui vous tire vers le bas. Marie-Madeleine, chez Marguerite Yourcenar, remercie le Christ de l'avoir arrachée à la médiocrité du bonheur. Qu'il eût été fade d'être heureuse ! « Dieu de grandeur et de miséricorde, écrit Chateaubriand dans ses *Mémoires d'outre-tombe*, vous ne nous avez point jetés sur la terre pour des chagrins peu dignes et pour un misérable bonheur ! »

Pourquoi sommes-nous ici ? Deux réponses entraînent deux attitudes que j'ai adoptées tour à tour et simultanément. La première : pour jouir le mieux possible, d'une façon ou d'une autre, des splendeurs de l'existence. La seconde : pour essayer de permettre aux autres, en cercles plus ou moins larges — nos enfants, nos voisins, nos amis, nos semblables, notre prochain et l'étranger, et peut-être nos ennemis —, d'en jouir aussi le mieux possible. Toute la psychologie, toute la morale, toute la métaphysique, toute l'idée que chrétiens, socialistes, beaucoup d'autres encore se sont faite du progrès est contenue dans ce choix.

Je ne crois pas qu'il y ait contradiction entre ces deux attitudes. Plus encore que des égoïstes, qui sont ce qu'ils sont et qui nous fichent au moins la paix — et je me compte parmi eux —, je me méfie de ceux dont la profession est de penser aux autres en pensant à leur place. Que de malheurs nous sont venus de ceux qui voulaient imposer au monde l'idée qu'ils s'en faisaient ! Je déteste ceux qui savent jusqu'à l'intolérance, ceux qui ont des recettes à répandre, ceux qui, à force d'idéal, en viennent à mentir par devoir et à tuer par conviction et par grandeur d'âme. Je préfère de très loin ceux qui ne pensent qu'à leur plaisir. J'admire ceux dont le plaisir, mêlé à beaucoup de chagrin et à beaucoup de travail, finit par être contagieux et par ajouter de la beauté — ou quelque chose comme ça — au monde. Nous leur donnons un nom qui m'a toujours fait rire : nous les appelons des artistes.

Il y a plus grand que les artistes. La seule tristesse, disait Bloy, qui dans la vie de chaque jour était insupportable, c'est de ne pas être des saints.

Au grand jour du Seigneur, sera-ce un sûr refuge
D'avoir connu de tout et la cause et l'effet,
Et d'avoir tout compris suffira-t-il au Juge
Qui ne regardera que ce qu'on aura fait ?

Les saints n'imposent rien à personne. Ils s'imposent tout à eux-mêmes. Ne pétons pas plus haut que notre cul. Être un saint, c'est beaucoup. En tout cas trop pour moi. Oh la la ! Ni saint, ni héros, ni artiste. À vrai dire, rien du tout. Ma seule ambition aura été de partager en riant, avec plus ou moins de gaieté, un peu de ce bonheur, souvent mélancolique, que m'a donné le monde. Je n'ai jamais rien voulu d'autre et, cahin-caha, chacun fait ce qu'il peut, c'est le but de ce livre.

pardon

N'exagérons pas. Rien n'est plus difficile pour chacun d'entre nous que de situer ce qu'il a fait et de se situer soi-même à sa juste mesure. Ni trop haut ni trop bas. Sans se flatter outrageusement et sans se traîner dans la boue — autre façon à la mode de se vanter en secret. Plus d'une fois, j'ai été médiocre. Ou un peu pire. J'en demande pardon à Dieu sait qui, et d'abord à moi-même.

Je pourrais raconter ici, salutaire exercice au croisement de la confession, de la psychanalyse, de la publicité et de ces répugnantes émissions de télévision où une prétendue vérité et des secrets longtemps cachés vous sont crachés au visage, les occasions, assez nombreuses, où j'ai été ridicule ou détestable, et parfois au-dessous de tout. Elles vont de détails minuscules à des vies bouleversées. Elles m'ont fait souffrir, par ma faute. Ce n'est pas le plus grave. Elles en ont fait souffrir d'autres.

Je crains d'être normal — si le mot a un sens — jusqu'à la banalité. Grâce à Dieu, je suis obsessionnel, souvent jusqu'à la névrose. Si je ne l'étais pas, serais-je parvenu au bout de ces quelques pages ? Les mêmes idées me hantent sans fin et me contraignent à écrire — d'ailleurs toujours la même chose : c'est ce qu'on appelle un style — pour essayer, le plus souvent en vain, de m'en débarrasser. Sous l'apparence de l'ironie et de l'indifférence, j'ai tourné et retourné dans ma tête — je m'interroge sur cette formule : « Je me sens bien dans ma tête » est un de ces galimatias qui donnent de notre temps une image si consternante — des erreurs ou des fautes sans beaucoup d'importance qui m'empêchaient de vivre et me font encore rougir. Je crois que j'ai prêté, par écrit, *Britannicus* à Corneille. J'ai distribué, hélas ! dans *La Gloire de l'Empire* ou dans l'*Histoire du Juif errant*, de la bouillie de maïs à des soldats romains ou barbares qui n'avaient pas encore découvert l'Amérique. J'ai confondu les frères Grimm et le Grimm ami de Diderot et de Jean-Jacques Rousseau — qui en viendra d'ailleurs, comme toujours, à se brouiller avec lui. Par inattention sans doute, mais le motif ne change rien à l'affaire, j'ai fait fusiller le duc d'Enghien dans les fossés de Versailles. Il m'est arrivé de soutenir des positions intenables. Je suis à peu près sûr d'avoir parlé plusieurs fois avec beaucoup de chaleur et de vivacité de livres que je n'avais pas lus. J'ai souvent dit n'importe quoi. Personne n'a semblé m'en vouloir. Tout le monde s'en fichait.

Par une technique bien connue, je donne ces détails enfantins pour cacher beaucoup pis. J'ai muré dans le silence des pans entiers de ma vie. Fallait-il être en bonne santé ou fallait-il que mon absence de tout sens moral fût profonde pour que j'aie pu survivre sans troubles majeurs à ce bannissement de moi-même !

Il y a beaucoup de choses que j'admire dans la religion catholique : le péché originel, qui nous manque si j'ose dire, l'Incarnation, coup de génie surhumain et proprement divin qui fait de Dieu un homme et de l'homme un Dieu — et la confession, où la transparence, par un autre coup de génie, se combine au secret et qui se sert de la parole pour effacer le passé et la faute.

J'aime l'histoire de cet assassin saisi par le remords qui, ne sachant plus à quel saint se vouer, va trouver un imam. L'imam, avant toute chose, lui demande si la victime était un infidèle tué dans l'exercice d'une activité qui pourrait ressembler au djihad ou, ce qui serait plus grave, un tenant de la vraie foi. Décontenancé, l'assassin se tourne vers un rabbin. Le rabbin lui répond qu'il y a des fautes pour lesquelles il n'y a pas de pardon et lui lit deux passages de la Tora sur les crimes qui agaceront les dents des enfants jusqu'à la neuvième ou douzième génération et sur la loi du talion : « Si un homme frappe mortellement un être humain, quel qu'il soit, il devra mourir. La sentence sera la même qu'il s'agisse d'un étranger ou d'un indigène. Car je suis l'Éternel, votre Dieu. » Notre homme, éperdu, va sonner chez un pasteur. Le pasteur l'écoute à peine, se dirige vers le téléphone et lui conseille avec bonté de déguerpir au plus vite avant l'arrivée de la police qu'il se voit contraint de prévenir. Abandonné de Dieu et des hommes, des idées noires dans le cœur, au bord du suicide, à la recherche d'une corde pour se pendre, le criminel passe devant une église. Il entre. Suppléant à l'absence d'orgue, un disque rayé joue sur un gramophone hors d'âge des airs qui lui rappellent son enfance. Un curé en survêtement l'invite à prendre place dans un confessionnal plongé dans des odeurs d'encens et dans l'obscurité.

— Mon père, dit l'assassin, j'ai tué.

Le prêtre hésite à peine.

— Combien de fois, mon fils ?

La voie vers le pardon passe par la parole. Peut-être ai-je aussi écrit ce livre pour cette parole que je ne prendrai pas. À cause de Spinoza d'abord (voir plus haut). Et parce qu'on ne sait jamais jusqu'à quel point la confession publique, à la différence de la confession catholique, couverte par le secret le plus sacré, ne relève pas de la complaisance et de la délectation. Si furieusement à la mode, la transparence, c'est très bien. L'ombre, le silence, l'opacité valent souvent mieux.

Il arrive pourtant un moment où, comme pour notre assassin, le silence devient plus dur que le choix, si dur, de la parole. Nous voudrions nous débarrasser de ce que nous avons fait — ou de ce que nous n'avons pas fait — comme nous ôterions un caillou glissé dans notre sandale. Nous ne pouvons pas. C'est là. Nous l'avons fait. Ou nous ne l'avons pas fait. Impossible d'écarter loin de nous ce passé devenu insupportable. Dieu lui-même, qui peut tout, ne pourrait pas l'effacer. Le moindre geste, la moindre pensée sont inscrits à jamais dans le livre invisible du temps. Rien de ce qui a été ne peut plus ne pas être. Le paradis, c'est ça. Et l'enfer aussi. Comme les Mésopotamiens, les premiers chrétiens croyaient que le paradis était en haut, au ciel, et que l'enfer était en bas, dans je ne sais quels abîmes. Le ciel et l'enfer ne sont pas en haut ou en bas. Ils sont en nous. Et le jugement dernier est comme la création : permanent, continu, à l'œuvre jusqu'à la fin et depuis le début.

Seule, la parole est peut-être capable, non pas d'effacer le passé, mais de lui donner un autre sens. C'est un mystère qui me dépasse un peu. Il est pourtant assez clair : tout langage est métaphysique. Ce n'est pas par hasard que l'arabe, langue du Prophète et du Coran, est divin et sacré. Ce n'est pas par hasard qu'au début de la Genèse Dieu donne lui-même un nom à ce qu'il vient de créer — « Il appela la lumière jour et les ténèbres nuit » — et charge l'homme de donner à son tour leur nom aux autres créatures : « Dieu forma de la terre toutes les bêtes sauvages et tous les oiseaux du ciel, et il les amena à l'homme pour voir comment celui-ci les appellerait : chacun devait porter le nom que l'homme lui aurait donné. » Ce n'est pas par hasard qu'aux premières lignes de l'Évangile selon saint Jean le Verbe n'est rien d'autre que

Dieu : « Au commencement était le Verbe et le Verbe était auprès de Dieu et le Verbe était Dieu. »

Aveux, roman, remords, pychanalyse, confession, repentir : il n'y a que les mots pour sauver ceux qui souffrent d'eux-mêmes et de leur passé.

Peu de gens se seront moins que moi souciés de la morale. Je ne la porte pas dans mon cœur. Ivre d'une métaphysique qui me passait par-dessus la tête, je n'ai aimé ni la logique, ni la morale, ni la psychologie. La logique m'ennuie à périr. La morale m'a toujours paru louche. La psychologie, mon cul. À ranger avec la Bourse, la météo, les sondages, qui nous trompent d'autant mieux qu'il leur arrive d'avoir raison, au rayon des fausses sciences, à la limite de l'imposture en dépit de leurs graphiques et de leurs équations. J'ai cultivé l'indifférence et je l'ai mêlée à la passion. Je me suis promené dans le monde, nez en l'air, mains dans les poches, en pleurant à chaudes larmes. Et en riant aux éclats.

La vie est un grand opéra, exagéré et sublime, qui nous retombe dessus. Je l'ai parcourue en benêt, je l'ai applaudie à tout rompre. Les livres, le cinéma, le théâtre, la peinture, la sculpture, l'architecture et le reste n'en sont que les sous-produits. J'ai préféré la mer, la neige, le ski, le bateau, toutes les formes de vertige, tous les vertiges du plaisir, à notre fameuse culture. Surtout quand l'idée lui vient de se faire plus grosse que le bœuf et de prendre une majuscule. Il paraît que la culture, selon une formule usée jusqu'à la corde, est ce qui reste quand on a tout oublié. La tentation m'est venue plus d'une fois de l'oublier aussi elle-même.

Ce que j'ai préféré chez elle, c'était une complicité née de très vieilles amours et usée par le temps. Un réseau d'amitiés fait sa force et sa faiblesse. Toute culture, toute littérature est un système de références que chacun, à son gré, peut chérir ou rejeter. Tout tableau, toute musique, toute œuvre d'art digne de ce nom subit des influences et en exerce à son tour. Tout livre renvoie à d'autres livres. Chaque auteur s'imagine, et je ne fais pas exception, que son livre est unique et qu'il traduit un monde qui se reflète en lui. Mais il n'est jamais qu'un numéro de plus dans un long catalogue sans début et sans fin, paré de toutes les splendeurs d'une tradition inlassablement combattue et inlassablement poursuivie, guetté par l'ennui, par l'oubli, par la banalité ou par les catastrophes, menacé par la barbarie, et où se succèdent les écoles.

Les commentaires, les gloses, les interprétations s'accumulent sur les œuvres. Une couche de savoir de plus en plus épaisse finit par les étouffer. Des milliers et des milliers d'ouvrages ont été écrits sur Aristote, sur la peinture vénitienne, sur don Juan, sur Marilyn Monroe. Autant qu'au milieu des pierres, des montagnes, des forêts de chênes ou de pins, le long des fleuves ou des rivages de la mer, dans la jungle des grandes villes ou de leurs banlieues, nous aurons vécu dans la lumière des mots. Ils constituent ce qu'il est convenu d'appeler la culture.

Arbitraire et précieuse, notre fameuse culture va des incipit qui ont fait battre tant de cœurs — « Qu'il fasse beau, qu'il fasse laid, c'est mon habitude d'aller sur les cinq heures du soir me promener au Palais-Royal... » ou : « Je forme une entreprise qui n'eut jamais d'exemple et dont l'exécution n'aura point d'imitateur. Je veux montrer à mes semblables un homme dans toute la vérité de la nature, et cet homme, ce sera moi... » ou : « Il y a quatre ans qu'à mon retour de la Terre sainte j'achetai près du hameau d'Aulnay, dans le voisinage de Sceaux et de Châtenay, une maison de jardinier cachée parmi les vallons couverts de bois… » ou : « La petite ville de Verrières peut passer pour l'une des plus jolies de la Franche-Comté… » et, bien sûr, ressassés jusqu'à plus soif : « C'était à Megara, faubourg de Carthage, dans les jardins d'Hamilcar… », que Claudel détestait, et, plus célèbre encore : « Longtemps, je me suis couché de bonne heure… » — à la rencontre entre Humphrey Bogart et Lauren Bacall dans *Le Port de l'angoisse* — « *If you need me, just whistle… You know how to whistle ?…* —*, au regard jeté par Burt Lancaster sur Claudia Cardinale à la fin du bal du *Guépard*, au voilier de Cary Grant et de Katharine Hepburn qui était si « *yawr* » dans *Philadelphia Story*, à l'escalier descendu par Ingrid Bergman à demi inconsciente, empoisonnée par les méchants, dans les bras du même Cary Grant à la fin de *Notorious*, que nous appelons *Les Enchaînés*.

Mon Dieu ! Comme nous nous sommes amusés ! Comme nous avons été tristes et comme nous nous sommes amusés ! Je me souviens de journées entières et de nuits sans sommeil où la mort ne m'aurait pas paru pire que les mouvements de mon cœur. Elles me font signe aujourd'hui, de ce passé évanoui, avec une sorte de gaieté, mêlée de chagrin et d'ironie. « Plains-toi ! me disent-elles. Tu as vécu. » Moins bien que d'autres, sans doute. Moins bien que ceux que j'admire. Moins bien que les saints qui s'occupent d'abord des autres ou les poètes ivrognes. Un peu de honte s'attache à ce que j'écris ici. Beaucoup ont souffert dans leur chair et dans leur esprit, beaucoup ont vécu au-dessus d'eux-mêmes.

J'ai trop aimé la vie dans ce qu'elle avait de plus brillant. Non pas de plus bas. Mais de plus brillant. J'ai aimé le soleil, le succès, le plaisir, le bonheur. J'ai aimé les chemises, les souliers, les voitures qui roulaient vite vers les clairs objets de mon désir, les plages de sable sous les pins et sous les oliviers, les rochers sur la mer. J'ai aimé les îles, les soirs d'été, le corps si doux des femmes. J'ai trop aimé l'argent parce qu'il me rendait libre et qu'il écartait les obstacles à ce qui me plaisait. Je voulais être heureux.

Je l'ai été. Bravo. Il y a dans ce bravo toute la tristesse du monde.

merci

Détestant la repentance, son vacarme cha-
fouin, ses simagrées masochistes et publici-
taires, j'ai déjà fait l'éloge de la confession et
de l'acte de contrition. J'ai toujours cultivé
l'espérance qui est, avec la charité, la plus
grande des vertus : elles suffisent, à elles deux,
à rendre le monde vivable. Seigneur ! Tour-
nerais-je bigot ? Les bons sentiments, quelle
horreur ! m'étoufferaient-ils sur le tard ? Voici
encore une malédiction en forme de bénédic-
tion : j'ai toujours eu un faible pour les actions
de grâces.

Plus que pardon, plus que bravo, beaucoup
plus qu'au revoir, j'écris ces pages pour dire
merci. Merci pour les roses, et merci pour les
épines. Les épines, dans mon cas, ne piquaient
pas beaucoup. Les roses étaient belles et j'ai
aimé leur odeur.

Je dois beaucoup. Mais à qui ? À mes parents, bien sûr. À mon père, inoubliable, dont j'ai parlé si souvent après l'avoir désespéré. À ma mère — son saint nom soit béni ! —, dont j'ai parlé un peu moins mais que j'ai beaucoup aimée, et qui m'aimait, je crois, au-delà du raisonnable. À mes grands-parents et à tous ceux d'avant, que je n'ai pas connus, jusqu'à la nuit des temps. Sans eux, pom pom pom Pom tzinc tzinc, je ne serais pas là. À mes maîtres, qui m'ont appris à lire et qui m'ont mené, comme par la main, dans le monde du savoir et dans celui des idées. À ceux qui ont mis des traits et des couleurs sur du bois ou des toiles, à ceux qui ont écrit des cantates, des livres, des mots que je me suis récités tout au long de ma vie et qui m'ont donné beaucoup de ce bonheur que je n'ai jamais cessé de poursuivre. Aux vivants et aux morts qui ont été mes compagnons tout au long du voyage. À chacun d'entre eux m'unissent des liens très forts sans lesquels je ne serais rien. Aucun être humain ne pourrait mourir sous mes yeux sans qu'un élan, plus proche de la biologie que de la morale, me pousse à lui venir en aide. Aucun homme n'est une île. Ne demande jamais pour qui sonne le glas : il sonne pour toi.

Ce n'est pas aux hommes seulement que je me sens lié. Pas seulement aux animaux qui nous sont souvent si proches et dont — le cheval, par exemple — nous avons si longtemps été inséparables. Je dois beaucoup à cette Terre qui m'a été prêtée par mes prédécesseurs, que je rendrai en mourant à ceux qui viendront après moi et où je me suis tant promené avec tant de bonheur. Je dois beaucoup au Soleil, que je n'ai pas été loin d'adorer et que beaucoup avant moi ont regardé comme un dieu. Et la Lune, comme une déesse.

Nous savons que la vie a surgi de la matière. Je dois tout à la vie d'où je sors, je dois tout à la matière d'où elle est sortie. Parmi des milliards de milliards de bourgeons, je suis un fruit de la vie — et pas si mal réussi puisque je suis un homme. Je suis un fragment minuscule d'une matière exaltée par la pensée. Et mon corps retournera à la cendre où retourne toute matière.

Personne n'ignore aujourd'hui qu'un fil court des étoiles aux atomes et aux quarks, du big bang jusqu'à nous. Je fais partie du tout. Je n'en suis même pas le centre, comme le croyaient les Anciens qui avaient beaucoup de génie avant que le temps passe sur eux comme il passera sur nous. Je le domine parce que je le pense. Je le domine et j'en dépens. Un peu comme aux Oscars ou à nos Césars du cinéma, merci à ma couturière, merci à mon coiffeur, merci à mes parents, merci à toute l'équipe. Merci aux quarks dans leurs abîmes et aux étoiles là-haut que je regarde le soir, merci aux chiens et aux chats, merci à la petite fille en rouge qui m'a fait rire l'autre jour dans le train en rentrant de Maubeuge.

Il faut bien l'avouer : le voici déjà vers son terme et nous n'en savons pas beaucoup plus qu'aux premières lignes de ce livre. Il se laisse lire puisque vous l'avez lu. Il est même assez simple et arrondi comme il faut puisque la fin renvoie au début à la façon d'un serpent qui se mordrait la queue. Il est comme les autres livres : un parmi beaucoup. Et très peu changent la vie. La Tora change la vie. L'Évangile change la vie. Le Coran change la vie. *Le Capital* aussi a changé la vie. Et *Mein Kampf* a changé la vie de beaucoup. Quelques autres encore ont changé des vies — et la mienne. L'ambition de ce livre-ci n'était pas de changer la vie. Pas d'arracher des larmes non plus, ni de faire rire aux éclats. Ni d'apprendre à conduire, à soigner les brûlures, à faire la cuisine, à gagner de l'argent. Ni de recommander quoi que ce soit à personne. C'était de saluer le monde et de le remercier. Je le remercie. Et je le salue. Il m'a rendu heureux. Soyez-le à votre tour.

Ne vous laissez pas abuser. Souvenez-vous de vous méfier. Et même de l'évidence : elle passe son temps à changer. Ne mettez trop haut ni les gens ni les choses. Ne les mettez pas trop bas. Non, ne les mettez pas trop bas. Montez. Renoncez à la haine : elle fait plus de mal à ceux qui l'éprouvent qu'à ceux qui en sont l'objet. Ne cherchez pas à être sage à tout prix. La folie aussi est une sagesse. Et la sagesse, une folie. Fuyez les préceptes et les donneurs de leçons. Jetez ce livre. Faites ce que vous voulez. Et ce que vous pouvez. Pleurez quand il le faut. Riez.

J'ai beaucoup ri. J'ai ri du monde et des autres et de moi. Rien n'est très important. Tout est tragique. Tout ce que nous aimons mourra. Et je mourrai moi aussi. La vie est belle.

Je ne sais pas pourquoi je suis arrivé jusqu'ici. Je ne sais pas d'où je viens. Je ne sais pas où je vais. D'autres sont venus avant moi. D'autres viendront après moi. Ils se poseront, à jamais, les mêmes questions sans réponse. Ils verront des choses qui auront été, avant qu'elles soient, impossibles à concevoir et même à imaginer. Ils espéreront encore. Ils souffriront. Et ils riront parce qu'ils seront jeunes et qu'ils auront devant eux une vie à perdre ou à gagner.

Merci de m'avoir fait entrer et de m'avoir accueilli. Merci à ceux que j'ai aimés et à ceux qui m'ont aimé. Ils ont bien fait : j'étais charmant. J'ai fait de mon mieux : j'étais odieux. Merci à ceux que je n'ai pas connus ou que j'ai ignorés et à ceux qui m'ont détesté. Merci aux pierres du chemin qui m'étaient douces sous les pieds et à l'étoile la plus lointaine de la plus lointaine galaxie. Et merci à Dieu, qui m'est tout de même plus proche, au moins en espérance et sous forme d'un rêve dans le rêve de ce monde passager et prétendu réel, que les pierres du chemin et les étoiles si lointaines des lointaines galaxies.

adieu

Je voulais d'abord appeler ce livre *Adieu*. C'était un peu ridicule. S'il m'arrivait, sait-on jamais ? d'écrire encore quelque chose, je risquais de marcher sur les traces de ces Castafiore qui n'en finissent plus de quitter leur public. J'avais envisagé, vous savez comme ils sont, ces grands malades qui écrivent, de choisir *Adieu (I)*. On pouvait rêver d'un *Adieu (II)* et, dans le gâtisme, d'un *Adieu (III)*. Amusant ? Je ne sais pas. Peut-être un peu poseur. J'avais pensé aussi à *L'affaire est dans le sac*. *Et voilà le travail* ne ɪ ɪe déplaisait pas. C'étaient de bons titres. Je les laisse à qui veut.

Et voilà le travail. J'ai beaucoup travaillé. Ce qui manquait pour être Catulle, ou Swift, ou Henri Heine, ou notre cher Paul-Jean de mince et glorieuse mémoire —

Si vivre est un devoir, quand je l'aurai bâclé,
Que mon linceul au moins me serve de mystère.
Il faut savoir mourir, Faustine, et puis se taire,
Mourir comme Gilbert en avalant sa clé.

— c'était autre chose. N'en parlons plus. Adieu, par avance.

Personne, après moi, n'écrira plus comme j'écris. Je ne veux pas dire par là que j'écris mieux que les autres. Je veux dire que je suis le dernier à écrire comme j'écris. Je suis un laissé-pour-compte, je suis une fin de série. J'écris comme au siècle dernier, comme au siècle d'avant et comme aux deux siècles avant le siècle d'avant. J'écris, oui, je sais, en moins bien, comme La Bruyère, comme Fontenelle, comme Vauvenargues ou Mérimée, comme Jules Romains ou Morand. Je suis, depuis longtemps, le dernier d'une lignée qui s'achève.

Les autres, après moi, écriront autrement. Je le leur conseille, en tout cas. On ne peut pas aspirer éternellement à faire toujours la même chose. Les temps changent. Les idées bougent. La langue évolue. Les livres n'occupent plus dans la vie de l'esprit la place qu'ils occupaient jadis. La boîte à outils propose d'autres ressources. D'autres instruments se présentent avec fièvre pour nous aider à penser ou pour penser à notre place. Déjà, moi-même, j'ai souvent eu le sentiment de tirer sur une corde sur le point de se rompre. Nous sommes sur des navires qui tiennent la mer depuis longtemps et qui ont couru avec gloire sur tous les océans. Voilà qu'ils se mettent à prendre l'eau de partout et à se hâter vers les ports et les bassins de radoub. Ah ! me dira-t-on, il pleut des livres comme jamais. Les cactus aussi fleurissent quand ils vont mourir. Adieu. Adieu, les livres que lisaient nos parents et les parents de nos grands-parents et que nous avons tant aimés. Adieu surtout les livres que nous avons écrits.

Il n'y a pas de quoi sangloter ni se couvrir la tête de cendres. Je ne sais pas quel avenir est en train de se préparer ni ce qui viendra après moi. Mais je sais qu'après, à coup sûr, ne sera pas pire qu'avant. Une médiocrité sans nom ? Hé là ! Après un passé de légende, ce que nous avons fait nous-mêmes n'était pas si brillant. Des horreurs, peut-être ? J'en ai connu aussi. Si étrange que ce puisse paraître, le monde après nous continuera à tourner. Sans vous. Sans moi. Avec des hauts et des bas. Mais il continuera. Il ne suffira pas à rendre nos successeurs tellement plus heureux que nous ne l'avons été nous-mêmes au milieu de nos drames. Vous le savez déjà : le Paradis retrouvé n'est pas encore pour demain. L'Apocalypse non plus.

Ah ! Vous souvenez-vous encore, plus ou moins obscurément, de ce vieillard aux cheveux longs, venu de sa Bretagne, que nous avons croisé dans ces pages ? C'était Renan. Il nous disait dans un souffle que la vérité est peut-être triste. Triste, la vérité ? À la rigueur, pour chacun d'entre nous. Et encore… Nous mourrons, c'est une affaire entendue. Mais la crainte de la mort n'a jamais empêché qui que ce fût de profiter de la vie : rien ne se laisse mieux oublier que la mort devant nous. À la rigueur, encore, pour l'humanité. Les hommes disparaîtront dans un avenir prévisible comme toutes les autres espèces ont disparu aussi ou disparaîtront à leur tour. À l'extrême rigueur, pour l'univers. D'une façon ou d'une autre. Il finira bien par finir. Mais ce n'est pas parce qu'une journée, un amour, une période de notre vie se sont enfoncés dans le passé que nous les considérons avec tristesse. Michel-Ange disait que Dieu avait donné une sœur au souvenir et qu'il l'avait appelée l'espérance. Ce qui éclaire l'existence, c'est l'espérance. Il y a des souvenirs aussi lumineux que l'espérance. Rien ne m'ôtera de la tête l'idée que le souvenir que laisseront derrière eux l'homme, la vie, l'univers ne pourra pas être triste.

Qui se souviendra de l'univers et de l'homme quand ils ne seront plus là ? Personne ? Est-ce possible ? Ne serait-ce qu'à l'état de songe, puisque la vie, après tout, n'est peut-être rien qu'un songe, ils auront pourtant été là. Je suis passé sur cette Terre, cette Terre a roulé dans l'espace et dans le temps. Il n'est pas impossible que je ne sois qu'un rêve et que tout, autour de moi, ne soit aussi qu'un rêve d'une implacable cohérence. Avec personne pour le rêver ? Qui le sait ? Si cruel et si beau, je doute que ce rêve se résume à un cauchemar sans rêveur. Au-delà de nos chagrins, des épreuves de la vie, de l'ambiguïté de l'histoire, du destin de l'univers, quelque chose en nous se révolte à l'idée que la vérité, l'ultime vérité, puisse elle aussi être triste.

Je me demande souvent si je n'ai pas tort de monter sur mes grands chevaux et de m'élever à des hauteurs qui ne sont pas faites pour moi. Il n'est pas tout à fait exclu que ce sentiment soit partagé par des lecteurs. Ce que je sais, c'est que ma vie n'aura pas été triste. Dans l'incertitude et l'angoisse, elle m'aura apporté tout ce qu'il m'était possible de rêver. Oui : une fête en larmes… Je l'aurai beaucoup aimée. J'en aurai aimé jusqu'aux chagrins.

Fatigué de se heurter sans cesse aux injonctions et aux ruses d'une pensée totalitaire qu'il lui était impossible de contredire, un personnage de Giraudoux monte sur une colline pour crier tout son saoul : « Merde pour Freud ! Merde pour Freud ! » Je grimperais volontiers au sommet des montagnes pour célébrer le monde et pour le remercier de m'avoir accueilli.

Je n'ai pas à me plaindre d'être né. Je ne me lamente pas d'être mortel. Je n'ai pas écrit ma vie — ou à peine… —, je ne l'ai guère pensée. Je ne l'ai pas mise en fiches. Je ne l'ai pas organisée selon un plan prévu d'avance. Je l'ai très peu surveillée. La vie est la chose au monde la mieux partagée entre tous les vivants. Quelle qu'elle puisse être, rien, sous le soleil, ni la vertu, ni l'État, ni aucune forme d'établissement, ni la science, ni la morale, n'est plus proche du sacré. Par avance, adieu.

Ah ! laissez-moi m'attarder encore un peu sur les routes de ce monde, le long des côtes de cette légende parcourue par Ulysse, par le roi de Jérusalem, par les galères de la Sérénissime ou de la Sublime Porte et qui m'a tant fait rêver.

Laissez-moi encore un peu, avant de vous quitter et de m'en aller pour toujours, m'étendre sur les rochers brûlés par le soleil et me jeter dans une mer écrasée de souvenirs et qui me lavait de moi-même. Prenez-moi dans vos bras que j'ai aimés plus que tout et laissez-moi dormir, vous serrant contre moi et écoutant votre souffle, au creux de votre épaule ou de vos seins si ronds. Laissez-moi encore un peu m'enivrer de cette vie qui m'a été donnée par le plus grand des mystères et que je n'ai cessé de bénir.

Addio !... Addio !... Il faudrait chanter mon départ à la façon de ces opéras italiens où amants et maîtresses n'en finissent pas de se quitter. Comme nous sommes attachés à ce qui passe et ne dure pas ! Comme nous sommes liés à ce temps qui nous emporte loin de lui ! J'ai tout aimé du temps, le soleil et la pluie, les petits cafés sur la place où nous l'avons tant perdu, l'attente impatiente d'un avenir qui, longtemps, a trop tardé à venir, le souvenir d'un passé à jamais évanoui.

J'ai admiré le très grand, j'ai eu un faible pour le minuscule. Je me suis promené dans les Pouilles, sur les plages désertes des îles, dans les rues de nos villes à la tombée de la nuit, le long des fleuves et des collines, avec des rêves de géant. Le mal m'a fait pitié, le génie m'a fait rire. J'étais comme chez moi dans ce monde que j'ai traversé avec étonnement et gratitude sans jamais le mettre très haut et où j'ai traîné avec délices.

Voilà maintenant que le temps me presse. Vite, vite. Assez lambiné. La fin est à mes trousses. Elle me tire par la manche. Il faut l'aimer, elle aussi. Tout est bien. Adieu. Adieu.

mode d'emploi

Vous glissez le livre dans votre poche.

De temps en temps, vous le feuilletez.

Et puis, vous l'oubliez. L'argent, le roller, le dentiste, la télé, vous avez autre chose à faire qu'à penser à moi, au temps, à l'éternité — et à Dieu. Existe-t-il seulement, ce Dieu de notre enfance et de nos espérances ? Je ne sais pas. Mais rien d'autre n'existe.

envoi

Bonjour chez vous.
Et baisers aux enfants.

l'affaire est dans le sac   9
le ravi de la crèche   10
comme un lapin   14
j'ai pleuré mes printemps   16
le passé et l'avenir   18
touchons du bois   21
un chemin de cendres   25
ah ! vous écrivez ?…   28
ce que je voulais faire   31
je vous hais tous   35
un cancre me lâche, un Tahitien aussi   37
un brillant imbécile   40
le vertige du monde   44
le mépris du bonheur   46
deux torche-cul   49
déclin de la nation   52
tout fout le camp   54
défense de rire   56

le complexe de César 61

j'écris des romans 64

la vie ne suffit pas 67

le monde est beau 70

quelque chose de nouveau 73

triomphe de la science 75

le chiffre de Dieu 79

échec de la science 82

inversion du progrès 84

une histoire du bonheur 88

éloge de l'inutile 91

nous en avons tant vu 93

je suis là 96

oubliez-moi, voyagez 98

le discours de Krishna 102

une cellule sur un théâtre 105

à quoi bon ? 108

le grand écrivain 112

non omnis moriar 115

un rêve évanoui 119

décombres 122

pourquoi écrivons-nous ? 125

une fête en larmes 128

le nom de Vancouver 133

le temps, et rien d'autre 140

les trois royaumes 145

la grande gaieté 150

merveilles 152

la tête à Toto 155

tout est là dès le début 160

pom pom pom Pom, tzinc tzinc 166

un léger doute 170

stupeurs 171

Trouble in Paradise 173

une question sans réponse 175

nous autres, civilisations… 178

le principe de Gabor 181

voilà déjà qu'ils recommencent 186

un peu d'hystérie 188

espérer ce qu'on croit 189

l'ordre des choses 191

une forteresse de l'âme 192

une idée à la Borges 194

incertitude, ô mes délices… 197

je bénis l'univers 200

enchantements du possible 201

complainte de l'impossible 211

la messe est dite 216

paulo majora canamus 219

pardon 223

bravo 230

merci 235

adieu 241

mode d'emploi 249

envoi 250

Achevé d'imprimer
sur Roto-Page
par l'Imprimerie Floch
à Mayenne, le 9 décembre 2002.
Dépôt légal : décembre 2002.
Numéro d'imprimeur : 55620.

ISBN 2-07-076819-8 / Imprimé en France.